NIÑOS CON
COMPORTAMIENTOS
DESAFIANTES

NIÑOS CON COMPORTAMIENTOS DESAFIANTES

Estrategias para el Pensamiento Reflexivo

Por Linda y Tom Brault

CPG Publishing Company
Phoenix, AZ 85076

Estos materiales podrán ser reproducidos gratuitamente sin ninguna modificación para propósitos o actividades educativas o de entrenamiento o relacionadas. No se requiere obtener algún permiso especial para dichos usos. Sin embargo, pedimos que la siguiente frase aparezca en todas las reproducciones:

Reproducción hecha del libro de

Brault, Linda y Thomas. (2005) Children with Challenging Behavior: Strategies for Reflective Thinking (Niños con Comportamientos Desafiantes: Estrategias para Pensamientos Reflexivos). Phoenix, AZ: CPG Publishing Company.

Este permiso está limitado a la reproducción de materiales para actividades educativas, de entrenamiento o relacionadas. La reproducción sistemática o a gran escala para su distribución o para la inclusión de conceptos en publicaciones para la venta, podrá hacerse únicamente mediante la previa autorización por escrito de Linda Brault quien podrá ser contactada en challengingbehavior@hotmail.com.

Para pedir copias adicionales y/o para obtener precios por volumen, sírvase poner en contacto con CPG Publishing Company o enviar un correo electrónico a la autora a challengingbehavior@hotmail.com.

La preparación del manuscrito original, Niños con Comportamientos Desafiantes, recibió fondos del Departamento de Educación de California, División de Desarrollo Infantil (CDE/CDD), a través de un contrato con la Agencia de Servicios Humanos y de Salud del Condado de San Diego, un proyecto del Consejo de Planeación de Cuidados y Desarrollo infantil del Condado de San Diego.

La producción y distribución de este libro se hizo posible gracias a los fondos proporcionados a través del Proyecto de Ley 1703 del Senado de California, los cuales fueron administrados por CDE/CDD a través de un contrato con YMCA CRS.

Publicado por CPG Publishing Company
P.O. Box 50062 Phoenix, AZ 85076
1-800-578-5549

ISBN: 1-882149-47-5

Impreso en los Estados Unidos de América

RECONOCIMIENTOS

Muchas gracias al Consejo de Planeación de Cuidados y Desarrollo Infantil del Condado de San Diego (San Diego County Child Care and Development Council) y en particular, al Comité de Necesidades Especiales, por proporcionar los fondos para escribir el manuscrito original de este libro. El trabajo con niños con comportamientos desafiantes ha sido un tema de muchos de mis talleres y agradezco al Comité de Necesidades Especiales del Consejo por darme la oportunidad de compartir esta información con los educadores dedicados a los primeros años del niño desde un punto de vista más amplio.

Muchas gracias también a YMCA Childcare Resource Service (CRS) por proporcionar los fondos para la producción de Niños con Comportamientos Desafiantes (*Children with Challenging Behavior*) a través de la Propuesta de Ley 1703 del Senado de California. El propósito en general de los fondos fue para aumentar el número de lugares de cuidados infantiles en California para los niños con necesidades especiales. Nuestro mayor deseo es que ustedes, los lectores, continúen abriendo sus corazones y sus programas de cuidados infantiles a TODOS los niños, incluyendo a aquellos niños con comportamientos desafiantes.

Muchas de las ideas y conceptos incluidos en este libro fueron desarrollados originalmente durante presentaciones hechas con Mary Jeffers, proveedora de cuidados infantiles en el hogar y de principios intervencionistas y Sandy Tucker, instructora en un colegio comunitario, directora del centro y entrenadora. Su sabiduría y muchas de sus palabras están contenidas en estas páginas.

También quisiera agradecer a Rebeca Valdivia, especialistas en Asuntos de Inclusión, por sus contribuciones y conversaciones relacionadas con niños, familias y proveedores desde diversos puntos de vista culturales y lingüísticos.

Las correcciones y las sugerencias provechosas hechas por los revisores del Comité de Necesidades Especiales, especialmente Ellen Montanari, Ellen Flanagan, Lorraine Martin y Cindy Martínez, ayudaron a crear un producto de más fácil lectura para el lector.

Hubo muchas personas involucradas en la producción de este libro. Muchas gracias a Pam Starkey en la YMCA CRS por revisar y corregir el manuscrito; Karen Charest de California Map to Inclusive Child Care por leer la versión final del manuscrito durante el transcurso de la producción; Erika

Ramírez-Lee, también de YMCA CRS, por su diseño inicial del libro y su diseño de la cubierta y a Suzanne Nelson por el diseño final de este libro.

La traducción al español de este libro involucró a varias personas. Gracias a Luis Carranza por el servicio de traducción; Linda Soto y Fusion Marketing Solutions por la lectura profesional del manuscrito; Russel von Dyl por el diseño final del libro traducido y a Ellen Montanari y Karen Charest por la coordinación de este proceso.

Linda Brault
Abril 2005

TABLA DE CONTENIDOS

CAPÍTULO 2
LAS RELACIONES

CAPÍTULO 3
ESTRATEGIAS

CAPÍTULO 4
EL NIÑO COMO INDIVIDUO

INTRODUCCIÓN

¿Le parecen familiares algunos de estos comentarios?

- Me siento muy frustrado con el comportamiento de un niño que estoy cuidando.

- He asistido a muchos talleres de trabajo sobre comportamiento, sin embargo todavía no tengo todo bajo control.

- No sé como seleccionar técnicas apropiadas de asesoría y disciplina entre todas las que conozco.

- Todo mundo está hablando del aumento en comportamientos agresivos (pegando, mordiendo, arranques físicos o verbales) que se están encontrando en los niños bajo sus cuidados.

- Quisiera poder entender lo que podría ayudar.

Los niños están entrando a ámbitos educativos y de cuidados infantiles tempranos en mayores números y a menores edades que nunca antes.[1] Con un aumento en el número de niños en cuidados infantiles, los comportamientos desafiantes —agresión, berrinches, desafíos— entre los niños pequeños también van en aumento.[2] Los padres de familia y educadores dedicados a los primeros años del niño se preocupan por el bienestar social y emocional de los niños durante estos primeros años. A veces encuentran difícil saber exactamente cómo proporcionar los cuidados y educación de calidad y con cariño que contribuyan en forma positiva en las vidas de los niños pequeños.

Si usted tiene una inquietud respecto a un niño en particular o quisiera ayuda a encontrar soluciones prácticas y las razones que causan el comportamiento desafiante del niño, la guía *Children with Challenging Behavior (Niños con comportamientos desafiantes)* es para usted. De hecho, todo tipo de educadores dedicados a los primeros años del niño —proveedores de cuidados infantiles/guarderías en el hogar, maestros de programas preescolares y de los primeros años de primaria, personal antes y después de la escuela, supervisores de sitio, directores, administradores de programas y otros a quienes se les paga por cuidar a los niños— encontrará aquí las respuestas. Asimismo, los padres de familia podrán aprovechar las ideas presentadas en estas páginas. Esta guía ayudará a cualquier persona que haya formulado las siguientes preguntas:

- ¿Cómo puedo trabajar con los niños para lograr un cambio positivo?

- ¿Cómo puedo manejar grupos de niños cuando hay un niño que demuestra un comportamiento desafiante?

- ¿Cómo puedo separar un comportamiento desafiante de otros factores tales como expectativas culturales, diferencias en el idioma, o incapacidades?

- ¿Cómo puedo asegurar que estoy haciendo lo mejor para apoyar a los niños que encuentro desafiantes y que están bajo mis cuidados?

PENSAMIENTOS REFLEXIVOS

Muchos padres de familia y educadores dedicados a los primeros años del niño desean contar con un artículo o asistir a un taller de trabajo que logre hacer desaparecer todos sus problemas. Por supuesto, no existe una respuesta mágica. En el fondo, usted sabe que el encontrar soluciones a los retos generalmente viene de uno mismo. Sugerimos que comience reuniendo las herramientas y los recursos que le ayudarán a ser más efectivo con los niños. Al estar trabajando en una situación difícil, usted también quisiera permanecer respetuoso de los demás adultos involucrados y evitar el agotamiento para que pueda dar su cariño y dedicación a los niños. Las técnicas para apoyarlo se incluyen aquí.

Al enfrentarse a un niño (o adulto) con un comportamiento desafiante, tal vez quisiera cambiar a dicha persona. Tal vez sea frustrante darse cuenta que generalmente es solamente usted a quien puede controlar. Sin embargo, en su papel como maestro, educador dedicado a los primeros años del niño o proveedor de cuidados infantiles, usted sí tiene algo de control sobre los elementos en su ambiente, su programa, sus propias estrategias y sus conocimientos de los niños en particular. Puesto que el comportamiento es comunicación, empiece por determinar lo que trata de comunicar dicho comportamiento desafiante y cómo puede ser tratado al examinar dichos elementos. A este enfoque se le conoce como **pensamiento reflexivo**.

El uso de técnicas de pensamiento reflexivo puede tener resultados mágicos. Cuando usted se detiene para pensar y actuar, puede aplicar en forma consciente y cuidadosa los conocimientos y la experiencia que ha obtenido a través de su entrenamiento, educación y trabajo con los niños.

CÓMO USAR ESTA GUÍA

Children with Challenging Behavior (Los niños con comportamientos desafiantes) ofrece las herramientas, ideas y nuevas maneras de pensar para ayudarlo a ser un pensador reflexivo que actúa con sabiduría en vez de reaccionar debido a su frustración. Muchas de las sugerencias prácticas pueden ser aplicadas inmediatamente. Tal vez encuentre útil usar la guía en pláticas con otros educadores dedicados a los primeros años del niño. El comparar apuntes con otras personas del personal o con miembros de su red o grupos de apoyo, tales como asociaciones de cuidado infantil/guarderías en el hogar, tal vez haga más fácil el reflexionar y pensar sobre sus reacciones e ideas.

Una palabra de advertencia: Esta guía no lo incluye todo, particularmente en su trato en cuanto a lo que tal vez sea el segmento de crecimiento más rápido de nuestra población—los niños con experiencias y antecedentes diversos tanto culturales como lingüísticas. Puesto que sus propias experiencias y antecedentes culturales tienen una influencia sobre la manera en que usted percibe el comportamiento de un niño, tal vez tenga que ampliar su opinión de lo que constituye un comportamiento normal y deseable. Encontrará algunas ideas adicionales en las secciones sobre cultura e idioma, aunque en forma algo superficial. Considere la información y las estrategias proporcionadas sobre este tema como un punto de inicio para la reflexión y como un incentivo para obtener mayor información.

Aún después de aplicar las herramientas e ideas en esta guía, tal vez siga confundido con el comportamiento de ciertos niños bajo su cuidado. Algunos niños requieren más ayuda especializada que otros. Tome el tiempo necesario para identificar a las personas y a los recursos en su área a quienes puede usar cuando "lo ha intentado todo." Su agencia local de recursos y referencias de cuidados infantiles es un buen lugar en donde comenzar. Si vive en el Condado de San Diego, California, póngase en contacto con el YMCA Childcare Resource Service al 1-800-481-2151. Para información sobre recursos y referencias en cualquier parte de los Estados Unidos, comuníquese con la línea directa de Conscientización sobre Cuidados Infantiles (Child Care Aware) al 1-800-424-2246 y solicite información de contacto para las agencias de recursos y referencias de cuidados infantiles/guarderías en su área.

Un pensamiento final: Si usa las ideas contenidas en el libro *Children with Challenging Behavior (Niños con comportamientos desafiantes)*, sus observaciones e información sobre un niño que muestra un comportamiento desafiante serán más claras y enfocadas. La familia así como cualquier otro profesional que trabaja con el niño claramente obtendrá provecho.

ANTES DE COMENZAR A LEER

Esta guía es muy útil para los educadores dedicados a los primeros años del niño cuidando a niños entre dos y ocho años de edad (primeros años de primaria). Algunas ideas se podrán usar con niños tan pequeños como de un año de edad o tan grandes como de doce años de edad. El material está organizado para que obtenga provecho ya sea si elige un enfoque amplio o un enfoque estrecho. Lea toda la guía de principio a fin o seleccione una o varias secciones de mayor interés para usted.

La Lista de Control del Comportamiento BRAULT (por sus siglas en Inglés) en las páginas 7-11 es una autoevaluación que proporciona una manera de evaluar su ambiente, programa, estrategias y conocimientos de un niño en particular en base a sus observaciones. La lista de control le ayudará a examinar en forma sistemática el Comportamiento mediante:

Reflexion (distanciarse de sus emociones)

Analisis (ver los factores externos e internos)

Comprensión (¿Qué está tratando de comunicar el comportamiento?)

Aprendizaje (reunir más información)

Probar algo nuevo (en base a lo que ha aprendido)

Tome unos cuantos momentos para llenar debidamente la lista de control antes de comenzar a leer la guía.

CARACTERÍSTICAS

Cada sección de *Niños con comportamientos desafiantes* contiene estrategias específicas, herramientas, ejemplos y recursos donde puede obtener mas información. El libro contiene lo siguiente:

Una historia de la vida real—Al principio de cada sección encontrará una historia que usted puede leer acerca de las experiencias de un educador dedicado a los primeros años del cuidado infantil.

Recursos de la sección—Al final de cada sección encontrará una lista de sitios Web, libros y videos que le ayudarán a aprender más acerca de temas en particular.

Glosario de consulta rápida—En cada sección encontrará palabras resaltadas que están en el glosario.

TERMINOLOGÍA

El comportamiento desafiante significa diferentes cosas para diferentes personas (véase "Valores y creencias acerca del comportamiento" en el Capítulo 2, página 55). En esta guía, el término *comportamiento desafiante* se usa para indicar cualquier comportamiento que interfiere con la capacidad del niño para aprender y/o desarrollar y mantener relaciones con los demás. Al usar ejemplos, los pronombres masculinos y femeninos se mencionan en forma alterna. ¡Ambas las niñas como los niños pueden exhibir comportamientos desafiantes!

Los términos **familia y padres de familia** se usan en forma intercambiable y tienen la intención de representar una variedad y multitud de agrupaciones familiares dedicadas a la crianza de los niños.

Se usa el término **educador dedicado a los primeros años del niño** para describir a cualquier persona que proporciona cuidados tempranos y educativos a un niño incluyendo proveedores de cuidados infantiles/guarderías en el hogar, maestros dedicados a los primeros años del niño, maestros preescolares, personal de "Head Start," maestros de primaria, personal en programas antes y después de la escuela, etc.

Las palabras en negritas y letra itálica están definidas en cada sección a través de la características de "Glosario de consulta rápida." Una lista completa de términos en el glosario se encuentra en la página 144.

LISTA DE CONTROL DEL COMPORTAMIENTO BRAULT

Esta autoevaluación, de cuatro secciones, le ayudará a reflexionar, analizar, comprender y aprender acerca del comportamiento con el fin de probar algo nuevo. Llene debidamente la lista de control para ver que parte(s) de la guía puede(n) ser más útil(es) para usted en este momento. Las palabras en letra itálica están definidas en el glosario.

Para contestar cada pregunta, considere su situación luego marque el cuadro bajo la columna correspondiente: Sí, Tal vez/Parcialmente, No, o No sabe (lo que quiere decir la pregunta). Para cualquier respuesta que no sea Sí, tal vez quiera consultar la página mencionada para obtener mayor información.

Lista de Control BRAULT	Sí	Tal vez/ parcial- mente	No	No sabe	Consulte la página
Capítulo 1: ELEMENTOS DEL PROGRAMA					
Ambiente					
¿Ha evaluado cuidadosamente los siguientes elementos del ambiente **físico**?					13-18
Organización y arreglo del salón					13-16
Variedad y número de juguetes y materiales					15-17
Tamaño del grupo para todas las actividades					16-17
¿Ha evaluado cuidadosamente el ambiente **sensorial** (audición/sonido, visual/color/ desorden, táctil/duro/suave)?					17-20
¿Ha habido cambios en su ambiente (personal, **plan de estudios**, arreglo del salón, niños en el grupo, etc.)?					20-21

Plan de Estudios	Sí	Tal vez/ parcial- mente	No	No sabe	Consulte la página
¿Su plan de estudios contribuye las bases socio-emocionales para niños de diferentes edades?					24-27
¿Es su plan de estudios interesante, retador y apropiado en cuanto al desarrollo de los niños?[3]					26-30
¿Están dirigidas al niño la mayoría de las oportunidades de aprendizaje?					30-31
¿Está su plan de estudios basado en lo que usted sabe acerca de cómo aprenden los niños (desarrollo infantil)?					30-32
¿Proporciona usted un equilibrio entre actividades activas y tranquilas que son apropiadas para las edades de los niños bajo su cuidado?					33
¿Proporciona usted un equilibrio entre actividades al aire libre y actividades en el interior?					34
¿Las expectativas de independencia para comer, ir al baño y otras habilidades de autoayuda son apropiadas para los niños bajo su cuidado?					34

Capítulo 2: RELACIONES					
¿Disfruta usted de las interacciones con los niños bajo su cuidado?					41
¿Tiene usted relaciones positivas y respetuosas con las familias de los niños bajo su cuidado?					42-43

RELACIONES *continúa*	Sí	Tal vez/ parcial- mente	No	No sabe	Consulte la página
Tiene usted relaciones positivas y respetuosas con otros miembros del personal?					42-43
¿Conoce usted sus propias características en cuanto a temperamento y preferencias de estilo de aprendizaje y cómo esto tienen influencia sobre su trabajo con niños?					46-50
¿Alguna vez ha evaluado cuidadosamente sus valores y creencias acerca del comportamiento, disciplina y expectativas para los niños?					55-57
¿Sabe usted exactamente cuáles comportamientos encuentra más desafiantes y por qué?					56-57
¿Sus antecedentes culturales o de idioma son iguales que los niños y familias bajo su cuidado?					59-62
¿Participa en actividades con niños fuera de su trabajo que le proporcionan satisfacción y realización?					65-67

Capítulo 3: ESTRATEGIAS					
¿Tiene usted confianza en sus conocimientos de manejo de grupos y técnicas de asesoría tales como el uso de rutinas, planeación para las *transiciones y consecuencias naturales y lógicas?*					70-76
¿Se enfoca en la prevención de problemas de comportamiento como su estrategia principal?					70

ESTRATEGIAS *continúa*	Sí	Tal vez/ parcial-mente	No	No sabe	Consulte la página
¿Puede usted utilizar las técnicas básicas de manejo del comportamiento?					76-81
¿Tiene confianza en que usted y otros adultos en la vida del niño tienen expectativas consistentes y maneras para guiar al niño hacia un comportamiento deseado?					79
¿Tiene usted una manera clara para resolver problemas, incluyendo el desarrollo de un plan de acción para evaluar si la solución que usted seleccionó funciona?					87-93
¿Están usted y los padres de familia o miembros de la familia comunicando y compartiendo inquietudes con el fin de apoyar al niño?					95-98
¿Tiene usted oportunidades para platicar periódicamente con otros adultos especialistas acerca de su trabajo y sus inquietudes?					97-98
¿Entiende cómo usar el pensamiento *reflexivo* como una habilidad vital?					97-98 128-129

Capítulo 4: EL NIÑO COMO INDIVIDUO					
¿Está seguro que el comportamiento que está observando no es normal para la edad del niño y sus niveles de desarrollo?					30-32, 112
¿Ha tomado en cuenta el temperamento del niño (nivel de actividad, intensidad de sus reacciones, capacidad para adaptarse a las nuevas situaciones, regularidad, estado de ánimo, etc.) y cómo todo esto juega un papel en su comportamiento?					46-49

EL NIÑO COMO INDIVIDUO *continúa*	Sí	Tal vez/ parcial- mente	No	No sabe	Consulte la página
¿Ha considerado los estilos preferidos de aprendizaje del niño y cómo tienen una influencia sobre su comportamiento?					49-50
¿Ha considerado si el niño entiende el lenguaje que usted está usando? (Considere tanto las diferencias culturales como las del lenguaje.)					59-62
¿Es posible que el niño esté tratando de comunicar algo a través de su comportamiento?					105-107
¿Ha explorado si el niño necesita aprender algunas habilidades nuevas o *comportamientos suplentes* para poder cambiar su comportamiento desafiante subyacente?					107-108
¿Ha observado cuidadosamente al niño para enfocarse en el comportamiento específico, especialmente cuándo, en dónde y cómo sucede?					113-116
Si hay un comportamiento en particular que es desafiante, ¿sabe usted por qué el niño se porta como tal? (¿Cuál es su *función* o propósito?)					76-77, 105-106
¿Ha considerado diferencias individuales adicionales que pudieran contribuir al comportamiento (estrés o trauma reciente, cambios en el ambiente del hogar, incapacidad, problema médico)?					119-124

CAPÍTULO 1
ELEMENTOS DEL PROGRAMA

¿En dónde cuida usted a los niños (ambiente)? ¿Qué hace usted con los niños ahí todo el día (plan de estudios)? Las respuestas a estas dos preguntas forman la base para los elementos de su programa. Vamos a ver más de cerca cómo el ambiente y el plan de estudios tienen una influencia sobre el comportamiento de un niño.

SECCIÓN 1
AMBIENTE

Una historia de la vida real

Roxanne estaba nerviosa ya que era su primer día de kinder. La maestra les daba la bienvenida a los padres de familia y a los niños cuando iban llegando. Se animaba a los niños a que jugaran. Roxanne veía a su alrededor pero no sabía con qué podía jugar. Ella vió varios juguetes puestos sobre una mesa y algunos instrumentos musicales sobre unas repisas bajas. Puesto que los címbalos o platillos musicales estaban dentro de su alcance, Roxanne los agarró y los comenzó a tocar. Rápidamente, otros niños fueron hacia la mesa y comenzaron a hacer ruido con otros instrumentos. En solo un momento ya había un desfile. La maestra se fue hacia Roxanne y le quitó los címbalos de las manos. "Los juguetes musicales no son para la hora de juegos libres," dijo la maestra. Roxanne corrió hacia su papá y comenzó a llorar. No conozco las reglas de aquí. Me pueden regañar nuevamente, pensó ella. "¡No quiero quedarme aquí!" lloraba Roxanne. Su papá se sorprendió con su comportamiento. Roxanne había estado en escuelas preescolares desde que era bebé y nunca anteriormente había tenido problemas de separación.

El ambiente tiene un impacto increíble sobre el comportamiento de la mayoría de los niños. Los educadores dedicados a los primeros años del niño han visto resultados dramáticos después de que han examinado detenidamente su ambiente en cuanto a los elementos que contribuyen a un comportamiento problemático y luego simplemente han hecho los ajustes correspondientes. Los cambios en el ambiente frecuentemente pueden evitar que ocurran los problemas de comportamiento. En lo que sucedió en la historia anterior, el ambiente contribuyó a varios comportamientos no deseados. Imagínese como cambiaría lo sucedido si los juguetes que no estaban permitidos estuvieran fuera del alcance de los niños o estuvieran tapados o si los adultos estuvieran disponibles para monitorear los juegos.

En esta sección se analizarán los ambientes físicos y sensoriales así como el *factor de estabilidad* en el ambiente —una parte importante del ambiente social y emocional. Considere estos diferentes tipos de ambientes al analizar su propio ámbito.

AMBIENTE FÍSICO

El ambiente físico incluye la estructura física del espacio (interior y exterior); el acomodo de los muebles, juguetes y materiales dentro del espacio; la manera en que se agrupa a los niños y adultos y las experiencias sensoriales disponibles o impuestas sobre las personas en el espacio. Los niños pasan gran parte de su tiempo en el ambiente que usted tiene. Piense en lo que pudiera hacer para que el espacio fuera más acogedor y le proporcione el mayor número de opciones.

Un ambiente bien diseñado tiene equilibrio y contraste. Debe haber espacios disponibles para grupos (grandes y pequeños), así como espacios en donde los niños puedan estar solos si lo desean (por supuesto siempre vigilados). Asegúrese de que su ambiente incluya tanto espacios suaves y blandos como espacios lisos y duros. Los niños también necesitan lugares en donde sentarse, lugares para correr y lugares para escalar.

EVALUACIÓN AMBIENTAL

Las preguntas en la evaluación que está más abajo fueron adaptadas de Including All of Us (Incluyéndonos a todos nosotros) por M.M. Shea.[1] Al contestarlas le ayudará a examinar su ambiente físico.

1. ¿Están organizados los materiales?

¿Los niños pueden tomar los juguetes y materiales sin ayuda? ¿Saben los niños dónde poner las cosas cuando es hora de guardar y limpiar? ¿Están agrupados los materiales en forma lógica (por ejemplo, los carritos y camiones están agrupados cerca de los materiales para jugar en carreteras)? ¿Se alternan los materiales y juguetes periódicamente para darles a los niños nuevas oportunidades para explorar, pero están disponibles el tiempo suficiente para que los niños puedan aprender a usarlos bien?

2. ¿Es claro para los niños el propósito de los centros y áreas de actividad?

¿Conocen los niños el propósito de cada área y para qué se usa? ¿Están las rutas entre las diferentes áreas claramente marcadas para organizar las vías de tránsito y para limitar las interrupciones en el juego de los niños? ¿El arreglo de los espacios promueve que los niños usen "voces interiores" adentro, pero actividades fuertes y estrepitosas afuera?

3. ¿Es el espacio adaptable para grupos de diferentes tamaños?

¿Tienen el suficiente espacio los centros más populares? ¿Se puede dar cabida a las actividades de grupos grandes y pequeños? ¿Hay lugares en donde los niños pueden jugar solos y tranquilos?

4. ¿Están bien organizados y seguros los ambientes interiores y exteriores?

¿Están arreglados los muebles, alfombras y otros equipos para evitar que los niños se lastimen? ¿Hay lugares en donde se puede almacenar equipo adicional para reducir el desorden? ¿Están las áreas activas lejos de las áreas tranquilas sin ruido?

5. ¿Promueve el ambiente la concentración así como la interacción social?

¿Es apropiada la estimulación sensorial (visual y auditiva) del ambiente para poder terminar las tareas? ¿Pueden los niños concentrarse cuando sea necesario e interactuar con sus amistades cuando sea apropiado?

6. ¿Permite la organización física del salón la observación y la interacción de los adultos?

¿Pueden los adultos ver e interactuar con los niños desde la mayoría de las áreas del salón? ¿Está el salón limpio y fácil de mantener para que los adultos pasen la mayor parte de su tiempo con los niños?

7. ¿Pueden los niños contribuir a cuidar y mantener organizado el ambiente?

¿Ha establecido usted rutinas que fomenten que los niños trabajen juntos cuando guarden sus materiales en sus lugares designados para mantener en orden el ambiente?

CONSEJOS PARA ACOMODAR SU ESPACIO

Una vez terminada la evaluación ambiental, es posible que decida cambiar el arreglo de su espacio. Los siguientes consejos le ayudarán a empezar:

1. Establezca salones dentro de los salones.
- Muchas actividades en un ámbito se llevan a cabo en un salón grande. Trate de dividir el salón en áreas de diferentes tamaños y formas.

- Sus actividades comunes le pueden ayudar a determinar cómo está dividido el espacio. Necesita un área para reunir a todo el grupo, así como opciones para actividades en grupos pequeños.

- Cuando un ambiente interior tiene espacios abiertos y grandes, muchos niños querrán portarse como si estuvieran jugando afuera. El dividir el espacio puede ayudarles a los niños a enfocarse en un área a la vez y desalentarlos a correr y brincar adentro.

2. Acomode cuidadosamente las áreas de actividad.
- Asegúrese que el espacio de cada área esté claramente definido. Puede evitar muchos problemas cuando los niños saben que ciertos juguetes y actividades deben mantenerse en áreas designadas.

- Ponga atención a las rutas de circulación. ¿Por dónde entran y salen los niños y los adultos del área? ¿Cómo se mueve la gente por dicho espacio?

- No coloque un área de actividades tranquilas, como un rincón de libros, junto a un área ruidosa (por ejemplo, en donde se guardan los bloques o ropa para jugar a vestirse). Proporcione lugares intermedios o separaciones de espacios vacíos entre las áreas ruidosas y tranquilas.

- Las áreas para comer y para los proyectos de arte deben colocarse cerca de una llave de agua.

3. Planee con base al número y al tipo de materiales necesarios.
- Los materiales deben estar al alcance de los niños dentro de un área. Debe haber suficientes materiales para cada área de actividades.

- Saque con anticipación los materiales tales como materiales de arte y bocadillos para que los niños no tengan que esperar para comenzar un proyecto o actividad.

- Compre varios ejemplares de los juguetes más populares—hasta juguetes por duplicado— para los niños pequeños. ¿No es mejor invertir en varios teléfonos en vez de escuchar un coro interminable de "Es mío, es mío"?

- Alterne los materiales y juguetes periódicamente. Los niños se aburren cuando tienen que jugar con los mismos materiales y tal vez comiencen a usar los juguetes en formas inapropiadas. La falta de materiales apropiados para el desarrollo de los niños también puede resultar en el aburrimiento de los niños y en comportamientos desafiantes.

> Compre varios ejemplares de los juguetes más populares—hasta juguetes por duplicado— para los niños pequeños. ¿No es mejor invertir en varios teléfonos en vez de escuchar un coro interminable de "Es mío, es mío"?

- Mantenga siempre los materiales en el mismo lugar para que los niños sepan donde encontrarlos. A los niños les gusta lo predecible. Por ejemplo, al introducir nuevos materiales de arte, colóquelos en donde estaban los materiales anteriores.

- Asegúrese de que haya disponibilidad de supervisión por parte de adultos, tal y como en el área de trabajos con madera, para demostrar y monitorear el uso de cualquier herramienta nueva que esté siendo presentada a los niños.

4. Establezca áreas de actividades para los tamaños específicos de los grupos.

- Para cada área de actividad, considere los materiales disponibles, la supervisión requerida de adultos, así como el número y las habilidades de los niños en su grupo.

- Determine el número máximo de niños que cada área puede tener cómodamente. Para limitar el número de niños en un área en particular, pruebe las siguientes ideas:

  ○ Use un sistema de entrada con tarjetas. Los niños colocan las tarjetas con sus nombres en una ranura. Cuando todas las ranuras disponibles para dicha área están llenas, se cierra el área.

  ○ Decida en el número máximo de niños que usted puede acomodar en una actividad en particular y ponga sillas para acomodar a dicho número. Cuando todas las sillas están ocupadas, los niños tendrán que encontrar otra área de actividad que usar.

  ○ Asigne a los niños por colores a los diferentes grupos. Abra las áreas de actividad a ciertos grupos de colores a diferentes horas.

5. Mantenga los grupos pequeños.

• El tamaño del grupo es el número de niños en un área o espacio en particular, no la proporción de adultos por niños.

• Una de las maneras más fáciles de disminuir el comportamiento desafiante es reducir el tamaño de los grupos. Cualquier grupo con más de siete niños es demasiado grande para la mayoría de los niños. Mantenga pequeño el tamaño de los grupos (tres, cuatro, cinco o seis niños) para la mayoría de las actividades.

• Los niños tienen más oportunidades de participar, interactuar con otros niños o adultos y enfocarse en las actividades cuando están en grupos pequeños.

• A menos que usted tenga proporciones pequeñas entre los adultos y los niños (1:3 ó 1:4), planee actividades en grupos pequeños que requieran grados distintos de supervisión de adultos. Combine actividades que los niños puedan hacer con un mínimo de supervisión de adultos (juego dramático, libros familiares y rompecabezas) con actividades que requieran de supervisión intensa de adultos (actividades artísticas complicadas, preparación de comidas, aprender a usar nuevos juguetes, materiales o juegos).

6. Limite las veces que usted trabaja con los niños en grupos grandes.

• En grupos mayores de ocho niños, muchos niños ponen más atención en el niño que está a su lado, que en el adulto a cargo de la situación. Para mantener a un grupo grande de niños involucrado en una actividad, mientras usted habla mire directamente a los ojos de los diferentes niños.

• Mantenga las actividades de grupos grandes, cortas y enfocadas.

• Coloque físicamente cerca de usted o de otro adulto al niño que tiene problemas en grupos grandes para que lo pueda tocar suavemente y ayudarle a enfocarlo o redirigirlo.

• Use pedazos de alfombra u otros materiales para definir el espacio físico de los grupos grandes.

AMBIENTE SENSORIAL

Al examinar el ambiente, recuerde considerar el ambiente sensorial. El ambiente sensorial incluye todo lo que usted escucha, ve, toca, saborea y huele. Puede ser muy útil comprender cómo el ambiente sensorial afecta a los niños (y adultos) cuando busca razones detrás de algunos comportamientos.

LO QUE ESCUCHAN LOS NIÑOS

Deténgase y simplemente escuche mientras los niños están jugando. ¿Está el nivel de ruido tan alto que necesita alzar la voz para que le escuchen? Si es así, tal vez quiera instalar telas, alfombras o losa acústica para absorber el ruido; reacomode el salón, separando las actividades ruidosas de las tranquilas; o limite las áreas que se vuelven ruidosas para que las usen los grupos más pequeños.

¿Hay ruidos de fondo innecesarios? Muchos programas tienen música tocando continuamente mientras juegan los niños. Piense en formas de usar la música. Para aquellos niños que no pueden ignorar los ruidos en el ambiente, la música de fondo es una distracción. Frecuentemente, la música se mezcla con el fondo y ni enriquece ni tranquiliza a los niños como se esperaba. Solamente cuando es usada apropiadamente es cuando la música retiene su poder y su interés.

> "Cualquier programa de televisión, hasta uno educativo, puede llegar a ser una distracción visual y de la audición, particularmente si se deja encendido en el fondo."

La televisión combina el ruido con los dibujos. Considere cuidadosamente cuándo y por qué usa la televisión, si es que la usa. La mayoría de las organizaciones profesionales dedicadas a los primeros años del niño sugieren no usar la televisión con los niños en ámbitos de cuidados tempranos y educativos. La Academia Americana de Pediatría recomienda que los niños menores de dos años no vean la televisión.[2] Es importante que si usa la televisión, que no sea en exceso.

Cualquier programa de televisión, hasta uno educativo, puede llegar a ser una distracción visual y de la audición, particularmente si se deja encendido en el fondo. Cuando está encendida, algunos niños no pueden hacer otras cosas además de ver la televisión. Están concentrados al aparato y no les gusta ser interrumpidos. Los niños de este tipo muestran un aumento en comportamientos agresivos inmediatamente después de apagar cualquier tipo de programa de televisión.[3]

LO QUE VEN LOS NIÑOS

Después de escuchar lo que contiene su espacio, tome unos momentos para verlo. ¿Cuánto desorden ve? ¿Hay un revoltijo de colores y formas al nivel visual y colgando del techo? Muchas prácticas recomendadas (tales como colocar a la vista los trabajos artísticos de los niños, tener etiquetas con las palabras de los objetos comunes en el salón y proporcionar acceso libre a los juguetes y materiales), contribuyen al ambiente visual del salón. Sin embargo, algunos niños se pueden distraer o hasta agitarse con tantas cosas a la vista.

Para evitar el abrumar a los niños visualmente sensibles, tenga en mente que "entre menos cosas, mejor." Muchos proveedores de programas han encontrado que los muebles, paredes y alfombras de colores neutrales permiten que el enfoque en el ambiente visual sea en los niños y sus juguetes y materiales coloridos. Para reducir más la sobrecarga visual, intente incorporar algunas de las siguientes ideas:

- Alterne los trabajos artísticos de los niños en un área como galería que haya creado especialmente para su exhibición.

- Seleccione un tono de color tenue, tal como crema o café claro, para las etiquetas con palabras.

- Coloque fotos sencillas de los niños y adultos de diversas capacidades, edades y antecedentes culturales por todo el salón. Estas fotos también pueden ser alternadas.

- Use una sábana para cubrir los materiales que no están siendo usados.

- Cree áreas visuales de descanso en donde no haya nada en las paredes.

LO QUE TOCAN LOS NIÑOS

Lo que los niños tocan tiene un gran impacto sobre su comportamiento. Por ejemplo, a algunos niños no les gusta la ropa que les raspe o tocar el pasto, arena o varias otras texturas. A algunos otros niños no les gusta mojarse las manos o ensuciarse con la plastilina o pintura.

Proporcione herramientas apropiadas para que jueguen en la arena y pintura para que los niños no tengan que tocar los materiales con las manos. Intente colocando la plastilina en una bola de plástico con cierre para que los niños la puedan apretar. Mantenga trapos o toallitas mojadas al alcance de la mano durante actividades en donde se pueden ensuciar.

ESTABILIDAD

Otro aspecto del ambiente es el ambiente social y emocional (véase el Capítulo 2). Una parte del ambiente social que puede tener un impacto sobre el comportamiento es el *factor de la estabilidad*. Los cambios suceden en todo ámbito de cuidados, ya sea si son cuidados infantiles/guarderías en el hogar, en un centro, de tiempo parcial, de tiempo completo o antes o después de la escuela. En muchos programas enfocados a los primeros años del niño y programas antes/después de la escuela, la rotación de personal sucede con demasiada frecuencia. El tipo y la frecuencia de los cambios y su preparación para dichos cambios tienen una influencia sobre la estabilidad de su ámbiente.

CAMBIOS PLANEADOS

A veces usted desea hacer algo diferente y decide hacer cambios en su ambiente. Tal vez decide sacar a los niños a una hora diferente debido a las condiciones climatológicas o planea tener un visitante o salir a un paseo. Tal vez quiere hacer cambios en su ambiente u otra área en base a algunas ideas en esta guía.

Algunos niños notarán más que otros las diferencias en el ambiente y podrán estresarse con dichos cambios. Prepare anticipadamente a los niños al platicar con ellos de los cambios. Si usted está modificando el ambiente físico mediante reacomodos en el salón, por ejemplo, pídales a los niños que le ayuden con la tarea. Puesto que usted piensa que sus cambios ayudarán a los niños bajo su cuidado y promoverán un mejor comportamiento, ¡muestre entusiasmo!

Algunos niños tienen varios adultos diferentes supervisándoles durante un día en particular. Estos cambios o *transiciones* entre los educadores dedicados a los primeros años del niño en un día pueden ser estresantes para muchos niños. Puede ayudar que una niña se sienta más segura y mejore su sentido de estabilidad al asignar un cuidador principal o adulto a grupos pequeños de niños. Esto es particularmente importante para una niña que necesita consistencia para guiar su comportamiento. El cambiar los educadores automáticamente a una edad en particular o durante un período del año en particular también puede causar estrés. Muchos programas también están viendo más detenidamente el proporcionar continuidad para los niños durante períodos más largos de tiempo. En vez de que una niña tenga que cambiar de educador y de salón, los grupos de niños y adultos permanecen juntos por tres años o más. A veces todo el grupo se cambia a un salón diferente para acomodar las necesidades físicas y cambiantes de los niños.

CAMBIOS INESPERADOS

Las circunstancias fuera de su control pueden causar cambios que usted no desea. Algunas veces estos cambios son repentinos; otras veces usted podrá saber de ellos por adelantado y tener tiempo para responder a los problemas. En cualesquiera de los casos, su reacción tendrá una influencia sobre los niños.

Si tiene un cambio en la composición del grupo—se inscribe un niño nuevo o un niño se cambia a otra ciudad—pase más tiempo ayudándole al grupo reorganizarse y ajustarse. Otra situación estresante para los niños es cualquier cambio en el personal de enseñanza o de apoyo. Cuando sea posible, mantenga a los niños juntos con el mismo adulto durante períodos prolongados de tiempo y prepárelos para el nuevo personal.

Aún los cambios en la hora podrán requerir de su atención. Muchos educadores dedicados a los primeros años del niño han reportado que el cambio del horario de verano es estresante para los niños. Los niños pueden preocuparse cuando sus padres no llegan para recogerlos hasta después de oscurecerse en vez de cuando todavía hay luz del sol. Avíseles a los niños por adelantado que esto va a suceder para ayudarles a entender este cambio. Recuerde, su enfoque hacia los cambios puede ser un factor clave en el comportamiento de los niños.

SECCIÓN 1
RECURSOS

SITIOS WEB

Creating a Peaceful Environment (Creando un Ambiente Pacífico)
http://arizonachildcare.org/provider/penvironment.html
Este sitio contiene consejos y actividades para hacer que "su hogar o centro sea un lugar tranquilo y pacífico."

Spaces for Children (Espacios para los Niños)
http://www.spacesforchildren.com
"Espacios para los niños está enfocado en los ambientes apropiados en cuanto al desarrollo infantil: lugares ricos para el aprendizaje que son dirigidos por los niños y eficientes para los maestros. Nuestra experiencia abarca la programación y diseño en términos generales de los edificios, incluyendo servicios completos de arquitectura, muebles y diseño de estructuras para juegos."

LIBROS

Chandler, P. (1994). *A Place for Me: Including Children with Special Needs in Early Care and Education Settings (Un lugar para mí: Cómo incluir a los niños con necesidades especiales en ámbitos de cuidados tempranos y educativos)*. Washington, DC: NAEYC.

Isbell, R. y Exelby, B. (2001). *Early Learning Environments That Work (Ambientes durante los primeros años del niño que funcionan)*. Beltsville, MD: Gryphon House.

Klein, M.D., Cook, R.E. y Richardson-Gibbs, A.M. (2001). *Strategies for Including Children with Special Needs in Early Childhood Settings (Estrategias para incluir a los niños con necesidades especiales en ámbitos durante los primeros años del niño)*. Albany, NY: Delmar.

Levin, D. (1998). *Remote Control Childhood? Combating the Hazards of Media Culture (¿Niñez a control remoto? Combatiendo los peligros de la cultura de los medios de comunicación)*. Washington, DC: NAEYC.

Llawry, J., Danko, C.D. y Strain, P.S. (1999). "Examining the Role of the Classroom Environment in the Prevention of Problem Behaviors" (Examinado el papel del ambiente del salón en la prevención de comportamientos problemáticos). En el libro de S. Sandall y M. Ostrosky (Editores), *Practical Ideas for Addressing Challenging Behaviors (Ideas prácticas para responder a comportamientos desafiantes).* Serie de Monografías sobre Niños Pequeños Excepcionales. *División de los Primeros Años del Niño.* Longmont, CO: Sopris West.

McCracken, J.B. (1999). *Playgrounds: Safe & Sound (Áreas de recreo: Seguras y tranquilas)* (folleto). Washington, DC: NAEYC.

VIDEOS

NAEYC. (1996). *Places to Grow—the Learning Environment (Lugares para crecer – el ambiente del aprendizaje).* Washington, DC: NAEYC.

PITC. (2003). *Space to Grow (Espacio para crecer).* CA: WestEd.

GLOSARIO DE CONSULTA RÁPIDA

factor de estabilidad: cuanto cambio que sucede en un entorno, incluyendo rotación de personal, rotación de niños, cambios en el programa o calendario y cambios en otras áreas tales como el ambiente y los planes de estudios

plan de estudios: una descripción organizada de lo que usted está haciendo para promover el desarrollo de los niños en todas las áreas

transición: movimientos entre actividades, lugares, entornos o personas

23

SECCIÓN 2
PLAN DE ESTUDIOS

Una historia de la vida real

Jamal estaba acostado sobre su estómago en su cobija. Gerilyn, su proveedor de cuidados infantiles/guarderías en el hogar, estaba sentada cerca, dando un biberón a Sarah. Jamal veía su rostro en un espejo, colocado a su nivel visual. Su brazo le pegó a la pelota de campanas. Él miró hacia el sonido. Nuevamente le pegó a la pelota con su brazo. "¡Ve nada más lo que hiciste, Jamal!" gritó Gerilyn. Jamal sonrió y le pegó nuevamente a la pelota. Se vió de nuevo en el espejo y se acostó de lado. Gerilyn colocó a Sarah junto a Jamal. "Bien, estás llena y los dos ahora pueden jugar con la pelota."

Al escuchar las palabras *plan de estudios,* muchas personas piensan en la enseñanza de conceptos específicos tales como formas, colores y números. También pueden pensar en el nombre de un método en particular, libro de texto o guía. Sin embargo, un plan de estudios apropiado es mucho más que eso. En la historia de la vida real, Gerilyn colocó a Jamal en donde tenía acceso a varios juguetes y lo animó cuando hizo un descubrimiento. Todo esto es parte del plan de estudios. Un plan de estudios simplemente es lo que usted está haciendo para promover el desarrollo infantil en todas las áreas.

FUNDAMENTOS SOCIO-EMOCIONALES PARA EL DISEÑO DEL PLAN DE ESTUDIOS

Al usted proporcionar cuidados tempranos y educativos de calidad, también debe proporcionar un ambiente seguro, saludable e interesante para los niños. También es importante ofrecer afecto, apoyo, protección, certeza, estímulos, enfoque y expansión de las ideas del niño. Esto ayuda al desarrollo social-emocional, físico e intelectual de cada niño. Un buen plan de estudios está diseñado para combinar conceptos y temas de manera útil, de tal forma que apoye a los niños mientras aprenden nuevas habilidades y tareas. Un buen plan de estudios apoya las tareas básicas de desarrollo de los niños.

En la planeación del plan de estudios, considere los fundamentos sociales y emocionales de protección, exploración, identidad y de sentirse parte del grupo. Estos cuatro elementos son importantes durante la niñez, aunque algunos se acentúan más en ciertas edades.

BEBÉS

Cuando usted cuida a los bebés y niños pequeños, usted pasa la mayor parte de su tiempo cambiando pañales, dando de comer y acostando a los bebés. Estas rutinas están al centro del plan de estudios para este grupo de edades. Lo que los bebés necesitan más es **seguridad y protección**: sentirse seguros y capaces de predecir lo que va a sucederles. Para desarrollar un sentido de protección en los bebés, no se desvíe de las rutinas regulares que están enfocadas en el afecto y apoyo a los bebés en maneras predecibles.

NIÑOS PEQUEÑOS

La necesidad que tienen los niños pequeños de **explorar** define la mayor parte de su interés en el aprendizaje. Las rutinas de proporcionar cuidados continúan siendo una parte importante del plan de estudios, pero los niños pequeños están más involucrados en cada rutina que los bebés. Los niños en esta etapa están aprendiendo cómo comer en forma independiente, a vestirse, acostarse y a controlar sus deseos de ir al baño. Usan su nueva movilidad para explorar el mundo a su alrededor. Los niños pequeños están interesados en las personas, juguetes, objetos y en otros niños— frecuentemente todo al mismo tiempo. Déles a los niños pequeños bastante tiempo para interactuar con juguetes y objetos cuidadosamente seleccionados. Use su necesidad de explorar como fundamento para todo lo que usted haga. Póngales atención sin tener expectativas que deben hacer lo que usted pide. El pedir que los niños pequeños exploren a su propia manera resulta en que tendrán mayor confianza en sus propias habilidades.

> "Lo que más necesitan los bebés es seguridad y protección: sentirse seguros y capaces de predecir lo que va a sucederles."

NIÑOS EN EDAD PREESCOLAR

Cuando los niños llegan a la edad preescolar, están comenzando a enfocarse en su propia **identidad**. La seguridad y la exploración permanecen como partes claves en su plan de estudios. Los niños en edad preescolar harán adiciones a sus conocimientos de sí mismos a través su expansión en el idioma y en sus habilidades en juegos dramáticos. Proporcione una variedad de experiencias, juguetes, objetos y actividades sin agobiarlos. Sus interacciones con los niños en edad preescolar les ayudará a aumentar su conocimiento de quienes son como individuos y de sus relaciones con los demás.

25

NIÑOS EN EDAD ESCOLAR

Una vez en la escuela, los niños tienen muchas oportunidades para aprender nuevas habilidades, especialmente habilidades académicas, en cada ámbito. Los pasos importantes en el desarrollo de los niños en edad escolar incluyen el llegar a tener más confianza en su identidad y entender cómo forman parte (**sentirse parte del grupo**) con las personas en sus mundos—familia, amistades, compañeros de clase, maestros y otros. En los programas después de la escuela y en otras situaciones de cuidados infantiles, los niños necesitan tiempo sin hacer nada, así como actividades sin estructura y oportunidades para la interacción. Necesitan práctica en hacer y mantener amistades y aprender las habilidades para la resolución de conflictos. Usted puede escucharlos y proporcionar estímulos al darles a los niños de edad escolar su tiempo y atención.

Un plan de estudios bien diseñado y desarrollado a base de estos fundamentos socio-emocionales puede evitar muchos comportamientos desafiantes. Un lugar de inicio altamente recomendado al comenzar a planear un plan de estudios apropiado es la publicación de la "National Association for the Education of Young Children" (Asociación Nacional para la Educación de los Niños Pequeños), *Developmentally Appropriate Practice in Early Childhood Programs (Prácticas apropiadas en desarrollo en los programas durante los primeros años del niño)*.

PRÁCTICAS APROPIADAS DE DESARROLLO

Tal vez usted está familiarizado con las prácticas ***apropiadas de desarrollo*** identificadas por la National Association for Education of Young Children (NAEYC). NAEYC piensa que el uso de estas prácticas resulta en cuidados de alta calidad para todos los niños, incluyendo aquellos con incapacidades o necesidades especiales. De acuerdo a la definición de la NAEYC, las prácticas apropiadas de desarrollo son el resultado del proceso llevado a cabo por los profesionales quienes toman decisiones para el bienestar y la educación de los niños con base en por lo menos tres tipos importantes de información o conocimientos: apropiado en cuanto a la edad, al individuo y las influencias culturales y sociales. Los problemas de comportamiento pueden suceder cuando el plan de estudios no está diseñado para tomar en cuenta estos factores.

El **ser apropiado en cuanto a la edad** se refiere a lo que se conoce del desarrollo infantil y del aprendizaje y de las actividades, materiales, interacciones o experiencias que serán seguros, saludables, interesantes, alcanzables y retadoras para los niños (dependiendo y variando con la edad de los niños).

El **ser apropiado al individuo** se refiere a lo que se conoce de las facultades, intereses y necesidades de cada niño en particular en el grupo.

Las **influencias culturales y sociales** son lo que se conoce del contexto cultural y social en donde viven los niños. El poner atención a estos factores asegura que las experiencias de aprendizaje sean significativas, **relevantes** y respetuosas para los niños participantes y sus familias.[4] El diagrama muestra lo interrelacionado de los tres tipos de información.

La definición de la NAEYC no está enfocada a las necesidades exclusivas de los bebés. Sin embargo, la organización nacional "Zero to Three" (Cero a Tres) describe las prácticas apropiadas en desarrollo para los bebés y niños pequeños en grupos como tener un educador dedicado a los primeros años del niño quien "es cariñoso y oportuno, respeta la individualidad del bebé y ofrece buenos entornos."[5]

ELEMENTOS DEL PROGRAMA

PRÁCTICA APROPIADA DE DESARROLLO

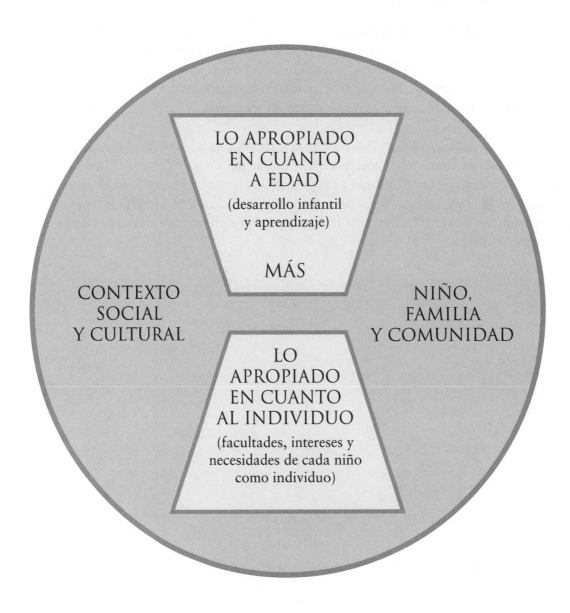

MANTENIENDO INTERESADOS A LOS NIÑOS

Los niños agradecen lo predecible y encuentran consuelo y tranquilidad en la rutina. Al mismo tiempo, requieren estimulación, variedad y novedad para su crecimiento óptimo. Puesto que el aburrimiento aumenta el comportamiento inapropiado, el ambiente y el *plan de estudios* necesitan proporcionar tanto rutina como variedad en formas *apropiadas en cuanto al desarrollo*.

El alternar los juguetes y equipo es una técnica efectiva utilizada por muchos educadores experimentados dedicados a los primeros años del niño (véase la Sección 1 "Consejos para arreglar su espacio", página 15). Para hacer esto, simplemente divida diferentes juguetes en dos o tres grupos pero deje un juego de juguetes a la vez. Los niños pueden jugar con animales de granja y con el establo por unas cuantas semanas, luego cambiar a coches y talleres, luego cambiar a un área con dinosaurios como tema. Todos estos juguetes cuentan con muchas piezas (animales, coches y dinosaurios) junto con una base central (establo, taller y cueva). Los juegos variarán con el tema exclusivo de cada conjunto de juguetes. Afuera, se puede armar una estructura para trepar y los diversos juguetes y equipo proporcionarán variedad. ¡Se necesita proporcionar algo más que triciclos!

Generalmente, a los niños les gustan las actividades que les permiten practicar y refinar sus habilidades en desarrollo. Necesitan ser retados justo al siguiente nivel de su camino de desarrollo. Ayúdeles a los niños a moverse a través del ciclo de aprendizaje de interés, interacción, práctica, maestría y exploración. Sea *reflexivo* al observar cuidadosamente a los niños, pensando en lo que sigue en el ciclo, mientras fomenta la interacción y la repetición. Es importante tener en mente los siguientes "Diez principios de la educación durante los primeros años del niño"[6] al diseñar su plan de estudios para que sea retador, interesante y apropiado al desarrollo de los niños:

1. Los niños pequeños son discípulos concretos.

2. Los niños pequeños aprenden a través de la participación de todos sus sentidos.

3. Los niños pequeños aprenden mediante la experimentación y la exploración.

4. Los niños pequeños desarrollan nuevas habilidades de manera predecible.

5. Los niños pequeños aprenden mediante la observación y la interacción con sus compañeros y adultos.

6. Los niños pequeños deben tener poder para la resolución de problemas y la toma de decisiones.

7. La autoestima de los niños pequeños se fortalece cuando experimentan el éxito.

8. Diferentes niños aprenden de diferentes maneras y en diferentes plazos de tiempo.

9. Los niños pequeños aprenden a través de la repetición.

10. Los niños pequeños aprenden a través de los juegos.

APRENDIZAJE AUTODIRIGIDO POR EL NIÑO

Observe sus interacciones con los niños y compare la cantidad de tiempo que el aprendizaje es dirigido por usted o por un adulto con aquello que es dirigido por los niños. Cuando los adultos dirigen a los niños paso a paso a través de una actividad, es el adulto quien está dirigiendo el aprendizaje. Aunque esto puede ser un método útil de enseñanza, el aprendizaje dirigido por el adulto no es la manera más efectiva de aprendizaje y desarrollo para la mayoría de los niños pequeños. Con el fin de asegurar que los niños bajo su cuidado tengan una experiencia interesante y agradable dentro de su entorno, trate de aumentar la cantidad de aprendizaje dirigido por los niños.

Generalmente, los niños aprenden mejor cuando intentan hacer cosas, fallan, intentan nuevamente y cambian sus ideas. Esto es el aprendizaje autodirigido por el niño. Cuando los niños intentan encontrar el sentido en su mundo a través de la prueba y el error, son como científicos trabajando en un experimento. El papel de los adultos en este proceso es darles a los niños la libertad de experimentar su propio aprendizaje con una cantidad mínima de interferencia. Es importante proporcionarles a los niños un ambiente apropiado así como actividades, juguetes y equipo apropiados que animen su curiosidad natural, exploración y su sentido de prueba. Cuando los niños están dedicados a las actividades dirigidas por ellos mismos, usted es más capaz de apoyar activamente a los niños que están luchando con su comportamiento.

COMPRENDIENDO EL DESARROLLO INFANTIL

Los cursos en desarrollo infantil proporcionan una base para comprender el crecimiento, desarrollo y forma de aprender de los niños. Por ejemplo, los educadores dedicados a los primeros años del niño saben que las características heredadas ("naturaleza") y el ambiente ("educación," la cual incluye a los adultos que forman parte de la vida del niño) contribuyen para formar la manera en que se desarrolla un niño. El conocer estos y otros aspectos del desarrollo infantil le permite a usted y a los padres de familia diseñar y poner en práctica programas con actividades apropiadas para los niños.

Es invaluable conocer lo que es el comportamiento típico de los niños a edades específicas. A veces lo que parece ser un mal comportamiento en realidad es típico para esa etapa de desarrollo. Consulte el material impreso siguiente intitulado "What to Expect from the Preschool Child" (Qué esperar de un niño en edad preescolar) en la siguiente página para ayudar a poner en perspectiva el comportamiento.[7] El material menciona el rango de comportamiento típico para los niños de dos, tres y cuatro años de edad. Podría ser un buen ejercicio el volver a nombrar estos comportamientos, como se describe bajo "Temperamento" en la página 46. Observe también que esta lista usa el criterio de los adultos para describir los comportamientos "molestos". Por ejemplo, aunque un adulto puede pensar que un niño no está poniendo atención a lo que se le pide, podría ser que el niño simplemente no entendió la solicitud o tiene otra prioridad en su vida.

QUÉ ESPERAR DEL NIÑO EN EDAD PREESCOLAR

Un comportamiento de un niño en edad preescolar que es molesto a los adultos frecuentemente es tan solo una consecuencia normal del proceso de aprendizaje y crecimiento de dicho niño. Los padres de familia pueden dejar de preocuparse y molestarse si saben qué esperar de sus hijos en las diversas etapas de desarrollo del niño.

Un estudio de 555 niños de edad preescolar mostró que los niños de dos, tres y cuatro años de edad tienden a comportarse de las siguientes maneras:

La mayoría de los niños de dos, tres y cuatro años de edad:
- No ponen atención a lo que se les pide hacer
- Contestan no y rehúsan hacer lo que se les pide o lo que se espera de ellos
- Son lentos; pierden tiempo al comer, vestirse y lavarse
- Dejan sin hacer las tareas; comienzan pero nunca acaban
- Son inquietos; no se quedan quietos

- Se ríen, echan chillidos y brincan la mayor parte del tiempo
- Arrebatan los juguetes; empujan, pegan o atacan a los demás
- Rehúsan compartir las cosas con los otros niños
- Piden ayuda sin razón
- Lloran fácilmente; hacen berrinches
- Se meten el dedo a la nariz y juegan con sus dedos
- No se alejan de los adultos
- Buscan atención al ser presumidos; buscan los elogios
- Se dirigen a los adultos con críticas de los demás
- Son mandones con otros
- No se duermen durante la hora de la siesta; no quieren descansar
- Rehúsan la comida
- Hablan en forma indistinta
- Es difícil razonar con ellos

Del treinta y tres al 50 por ciento de los niños de dos, tres y cuatro años de edad

- Se quejan o lloriquean
- Mastican objetos, se chupan el dedo, hablan con algún defecto (cecean) y se enroscan el pelo
- Son tímidos y tienen miedo de las personas desconocidas
- Cuentan cosas fantasiosas como verdaderas
- No quieren jugar con los demás
- Son celosos

Más del 25 por ciento de los niños de dos, tres y cuatro años de edad

- Se muerden las uñas, se mueven nerviosamente y se tocan los genitales
- Rompen los juguetes, libros y pintarrajean las paredes o los muebles
- Son berrinchudos
- Se mojan durante el día
- Tienen temor de los animales y ruidos fuertes
- Toman cosas secretamente que pertenecen a otros

Ninguno de los 555 niños hizo alguna de estas cosas todo el tiempo, pero todos los niños hicieron algunas de estas cosas de vez en cuando. Un gran porcentaje de los niños mostraron algunos de los comportamientos casi diariamente.

Adaptado de la Universidad de Wisconsin,
Extensión Agrícola y Ciencias del Hogar

EQUILIBRANDO LAS ACTIVIDADES

Un día bien equilibrado proporciona tanto oportunidades tranquilas como oportunidades activas para los niños. El guardar y liberar energía son tan importantes para las habilidades de los niños como inhalar y exhalar. Algunos niños obtienen energía a través de sus interacciones con otras personas, algunos de estar solos y otros durante el juego activo. De la misma manera, antes de que puedan enfocarse en algo, muchos niños deben primero soltar energía a través de las actividades físicas. A otros niños les gusta tranquilizarse con música suave y un animal de peluche. ¿Ofrece su programa un equilibrio entre actividades activas y tranquilas? Aprenda sobre las actividades que dan energía y relajan a los niños bajo su cuidado.

El reconocer que cada niño tiene un punto de equilibrio diferente para estar tranquilo y estar activo puede ser útil como una estrategia para ayudarles a los niños con un exceso de energía. Un comportamiento común reportado como un problema por los maestros es el del niño que no puede quedarse quieto. A veces dicho niño no sólo se mueve y se menea mucho, sino que les da de codazos a los otros niños, empieza a hablar o juega o mueve nerviosamente los materiales. Estos y otros comportamientos inapropiados frecuentemente aparecen cuando las necesidades del niño para un aprendizaje activo no son alcanzadas. Aunque es importante darle al niño inquieto muchas oportunidades de mover todo su cuerpo, ¡busque también maneras de involucrar a esto niño! Déjelo hacer algo mientras usted se involucra en una actividad tranquila. Mientras usted lee *The Very Hungry Caterpillar (La oruga hambrienta)* déle una oruga de peluche o déjelo repartir los materiales para trabajos artísticos.

Aquellas actividades que mantengan el interés de la mayoría de los niños no siempre mantendrán la atención de los demás niños en su grupo. Tome una decisión razonable y lógica de cuanto tiempo pasará en actividades con base en las edades de los niños. El uso de grupos más pequeños y el hacer que las actividades sean opcionales son otras formas de cubrir las necesidades de los niños con diferentes intereses y períodos de atención. Por ejemplo, el canto y la música no tienen que hacerse solamente en grupos grandes a la hora de estar en un círculo. Ofrezca cantar a los niños cuando están jugando afuera. Algunos de ellos les encantará cantar junto con usted los versos de la canción "The Wheels on the Bus" (Las ruedas del autobús). Aquellos niños no interesados estarán libres de ir y venir de la actividad.

USANDO LOS ESPACIOS INTERIORES Y EXTERIORES

Los niños necesitan tanto actividades al aire libre como en el interior. La planeación y supervisión cuidadosas son requeridas para aprovechar mejor de estos espacios y de asegurar que las actividades resulten sin problemas.

Las actividades en el interior generalmente involucran grupos más pequeños de músculos, estimulan la exploración tranquila y proporcionan oportunidades para descansar y reagruparse. La manera de organizar el espacio (véase las páginas 14-17) puede ayudar a evitar problemas de comportamiento. Sin embargo, aún en un espacio bien diseñado, los comportamientos problemáticos aumentarán si no existe suficiente oportunidad para tener actividad, como mucha gente lo ha averiguado cuando llueve. Los niños estarán mejor preparados para quedarse quietos y listos para aprender adentro cuando tienen un equilibrio entre períodos adentro y al aire libre. Sin embargo, el tiempo adentro no es solamente para actividades tranquilas. Los grupos grandes pueden cantar canciones juntos, jugar juegos en círculos y animar a los demás a recrear sus cuentos favoritos.

Las actividades al aire libre benefician a los niños de todas las edades puesto que promueven los movimientos de los músculos mayores, queman energía y fomentan la respiración profunda. Mientras están afuera, los niños pueden dispersarse por un área grande. Es necesario contar con supervisión de algún adulto para evitar cualquier comportamiento problemático como juegos toscos, conflictos físicos entre niños y accidentes. Planee una variedad de actividades y esté listo para interactuar con los niños. No todas las actividades deben requerir dirección de los adultos (véase la página 17). Los juegos, juguetes especiales (bicicletas, estructuras para trepar, columpios), arte y arena o juegos con agua pueden ser usados para complementar las oportunidades de aprendizaje adentro. Las actividades menos vigorosas tales como los días de campo y los proyectos de ciencia también tienen su lugar al aire libre. Asimismo, intente sacar cobijas para la lectura e instrumentos musicales.

EXPECTATIVAS PARA LA INDEPENDENCIA

Una gran parte de los cuidados de los niños pequeños involucra el tener que darles de comer, llevarlos al baño, vestirlos o desvestirlos. Durante los primeros años, los niños comienzan el proceso de aprender a hacer estas cosas – dominando las habilidades de *autoayuda*. Eventualmente pueden hacer las tareas independientemente, sin la ayuda de los adultos. Es fácil olvidarse que esto sucede en etapas muy graduales y muchas cosas diferentes contribuyen a aprender las actividades de la vida diaria.

DESARROLLO DE HABILIDADES DE AUTOAYUDA

Las habilidades de autoayuda involucran el desarrollo de habilidades motrices del niño, conscientización de las tareas y un deseo de tener control. Los niños pequeños frecuentemente desean "¡hacerlo yo mismo!" aún cuando las habilidades motrices no se hayan puesto a la par con sus deseos. Los adultos pueden encontrar que hacer las tareas de los niños les ahorra tiempo y es más eficiente a corto plazo. Sin embargo, para aquellas familias y programas interesados en desarrollar niños confiados e independientes, el darles poder a los niños para hacer las cosas por sí mismos es un mejor camino. Este es un buen momento para usar estrategias tales como dar opciones y enseñar habilidades u otras técnicas de prevención (véase las páginas 71-76).

Puesto que la mayoría de las habilidades de autoayuda involucran el desarrollo de músculos menores, un niño con retrasos en el desarrollo motor también puede tener retrasos en algunas actividades de autoayuda. Por ejemplo, si un niño está derramando comida cuando usa una cuchara, tal vez su coordinación entre ojos y manos no está bien desarrollada. Observe lo que está haciendo en otras tareas *motrices finas* tales como colorear o jugar con juguetes pequeños. Los niños con problemas motores también podrían tener retrasos al controlar sus intestinos y vejiga, puesto que ambos requieren la capacidad de contraer y expandir los músculos cuando se necesita. En estas situaciones, es importante trabajar conjuntamente con la familia del niño y con cualquier especialista que esté proporcionando servicios al niño.

> "Muchas expectativas y creencias no son obvias o pensadas hasta que existe un conflicto."

INFLUENCIAS SOCIALES Y CULTURALES

Las expectativas de los padres de familia acerca del momento en que los niños deben lograr la independencia en cuanto a sus habilidades de autoayuda están basadas en los valores de la familia, *normas* culturales y consejos recibidos por los padres de los expertos como de la abuela y el pediatra. La información y las opiniones de los amigos y vecinos, televisión, revistas y el Internet también son influencias fuertes sobre los padres de familia. Estas expectativas no siempre se cumplen con lo enseñado en los cursos de educación sobre los primeros años del niño.

Usted y sus familias tienen expectativas respecto al dominio de los niños de las habilidades básicas y cuánta ayuda de los adultos es aceptable. Las expectativas no siempre coinciden. A veces, las habilidades de autoayuda que un niño usa en el ámbito escolar son mucho más diferentes con las de los demás niños. Estas diferencias pueden dar motivo a problemas de comportamiento o ser percibidas como problemáticas por el niño, familia o usted.

Las expectativas culturales para la independencia en las habilidades de autoayuda podrián seguir patrones que las familias adoptarán en su totalidad o en parte. Por ejemplo, muchas culturas ponen énfasis en la interdependencia y esperan que los adultos continúen ayudando a los niños con las tareas durante toda la niñez, mientras que en otras culturas ponen énfasis en la independencia y esperan que los niños hagan cosas por sí solos a una edad temprana. Es útil conocer las costumbres de las familias cuyos niños están inscritos en sus programas. Puede haber tensiones y conflictos si usted y una familia tienen expectativas muy diferentes, como muestra la siguiente historia:

> Raye estaba sentada tranquila en su silla enfrente de una mesa. Ross, la maestra titular, había colocada la comida de Raye enfrente de ella. Los otros niños, quienes ya se habían servido, estaban comiendo. Raye alzó la vista para ver a Ross. "Está bien, Raye. Puedes comer." dijo Ross. Raye vio su comida y luego alzó la vista para ver nuevamente a Ross. "Por favor, Raye, come. Lo puedes hacer tu sola." Raye se cerró los ojos y pronto se durmió. Ross estaba frustrada. *Esto no puede seguir pasando. No tengo tiempo para darle de comer como lo hace su abuela.*

¿Es razonable para Ross esperar que Raye coma por sí sola? ¿Es razonable para la familia de Raye esperar que a Ross le den de comer? ¿Han hablado de esta situación para encontrar una solución donde ambos pueden estar de acuerdo? El hablar de las expectativas y de las políticas antes de surgir los problemas ayuda a los educadores dedicados a los primeros años del niño y a las familias a encontrar soluciones factibles cuando sucede algún problema. Al inscribir a un niño en la escuela, pregúnteles a los padres lo que espera la familia del niño y de usted. Comparta sus políticas y procedimientos para las actividades de autoayuda con ellos. Juntos, platiquen sobre cómo estas actividades se llevarán a cabo para su hijo.

Por supuesto, no todas las diferencias entre usted y la familia surgirán durante las pláticas de inscripción. Muchas expectativas y creencias no son obvias o pensadas hasta que existe un conflicto. Por ejemplo, usted podrá descubrir que usted y una familia tienen diferentes ideas respecto a los modales en la mesa al comer cuando un niño continuamente se pone jugar con sus juguetes durante la hora del bocadillo. Aunque usted piense que todos deben estar sentados frente a una mesa mientras están comiendo, es posible que la familia del niño lo deja jugar mientras está comiendo. ¿Qué puede usted hacer si los padres de familia nunca pensaron en platicar de esto con usted?

Cuando hay conflictos en cuanto a las expectativas, trate de encontrar una solución al hablar con la familia. Ponga a un lado sus suposiciones; tome el tiempo necesario para escuchar a los padres y entender lo que están diciendo antes de hablar. Enfóquese en encontrar una solución que valore las opiniones de la familia así como la capacitación profesional de usted. Usted recibirá información más útil si hace preguntas de respuesta abierta. Podrá encontrar más ideas en "Cultura y lenguaje" (páginas 59-60).

SECCIÓN 2
RECURSOS

SITIOS WEB

National Association for the Education of Young Children (NAEYC)
(**Asociación Nacional para la Educación de los Niños Pequeños**)
http://www.naeyc.org
El sitio Web de la Asociación Nacional para la Educación de los Niños
Pequeños (NAEYC) tiene enlaces a una guía de publicaciones con diversos
libros y videocasetes sobre planes de estudios disponibles para su compra a
un bajo costo.

The Program for Infant/Toddler Caregivers (PITC) (**El Programa para
Proveedores de Cuidados Infantiles a Bebés y Niños Pequeños**)
http://www.pitc.org
El sitio Web de PITC tiene artículos que describen enfoques apropiados de
planes de estudios para los niños muy pequeños así como información sobre
el programa de capacitación disponible en California.

Zero to Three (**Cero a Tres**)
http://www.zerotothree.org
El sitio Web de "Cero a Tres" tiene artículos y materiales para los padres
de familia y practicantes respecto los planes de estudios y otros temas sobre
niños recién nacidos a los tres años de edad.

LIBROS

Brault, L. y Chasen, F. (2001). *What's Best for Infants and Young Children?*
(¿Qué es lo mejor para bebés y niños pequeños?) Una guía resumida del
Condado de San Diego de las mejores prácticas para niños con incapacidades
y otras necesidades especiales en el ámbito de los primeros años del niño.
San Diego, CA: Comisión para Servicios Colaborativos para Bebés y Niños
Pequeños (CoCoSer). Disponible en www.IDAofCal.org

Bredekamp, S. y Copple, C. (Eds.). (1997). *Developmentally Appropriate*
Practice in Early Childhood Programs (Prácticas apropiadas de desarrollo
en los programas durante los primeros años del niño). Washington, D.C.:
NAEYC.

Cherry, C. (1981). *Think of Something Quiet: A Guide for Achieving Serenity in Early Childhood Classrooms (Pensando en algo tranquilo: Una guía para lograr la serenidad en los salones durante los primeros años del niño).* Carthage, IL: Fearon Teacher Aids.

Cook, R.A., Tessier, A. y Klein, M.D. (2000). *Adapting Early Childhood Curricula for Children in Inclusive Settings (5th ed.) (Adaptando los planes de estudios durante los primeros años del niño en ámbitos inclusivos).* New Jersey: Merrill/Prentice Hall, Inc.

GLOSARIO DE CONSULTA RÁPIDA

apropiadas en cuanto al desarrollo: tomando en cuenta lo que es adecuado para la edad del niño, para sus características individuales y sus influencias culturales y sociales

autoayuda: actividades llevadas a cabo sin la ayuda de un adulto, tales como comer, vestirse e ir al baño

motrices finas: se refiere al uso de músculos pequeños

norma: algo de lo cual se piensa que es típico para un grupo en particular

plan de estudios: una descripción organizada de lo que usted está haciendo para promover el desarrollo de los niños en todas las áreas

reflexivo: pensativo, considerando cuidadosamente los pensamientos y las emociones

relevante: significativo y apropiado

CAPÍTULO 2
LAS RELACIONES

Las relaciones son la base de toda interacción con un niño. Algunos expertos dicen que cualquier tipo de aprendizaje en los niños pequeños sólo sucede dentro del marco de las relaciones. En el libro The 7 Habits of Highly Effective People *(Los 7 hábitos de la gente altamente efectiva) Steven Covey escribe sobre la necesidad de establecer un banco emocional con las personas a través de interacciones positivas. Una vez que se ha logrado esto, usted puede hacer "un retiro de fondos", queriendo decir con esto que se puede enfocar en los problemas o pedir algo de la relación. Ciertamente[1], los niños deben estar emocionalmente conectados a usted antes de que sea posible establecer una interacción significativa. El ver los elementos claves de la relación hace la diferencia en el desarrollo a largo plazo de cada niño.*

SECCIÓN 1
LA CLAVE PARA UN
CUIDADO DE CALIDAD

Una historia de la vida real

Ayer fue un día difícil. Monique sabía que ella había perdido la paciencia muy rápido con Tanner. Aunque todavía tenía dificultades, el comportamiento de Tanner estaba mejorando. El turno de trabajo de su madre había cambiado nuevamente y esto a menudo hacía que Tanner fuera agresivo. Monique se puso muy contenta cuando vió que Tanner fue el primero en llegar. Lo invitó a sentarse a su lado en el sofá. "Siento haber perdido la paciencia contigo, ayer." "Bueno, contestó Tanner, mi mamá me dijo que a veces las profesoras tienen días malos." Monique se rió. "Bueno, ¿Qué cosa podemos hacer diferente la próxima vez?" ella le preguntó. "Quizás me puedo esconder cuando los otros niños se están preparando para volver a la casa." "Bueno, a mí me daría mucha tristeza si te escondieras todos los días," le dijo Monique. "¿Qué tal si planeas lo que puedes hacer cuando es tiempo de limpiar?" "Está bien," dijo Tanner. "¿Qué podríamos planear?" Hoy ya están saliendo mejor las cosas.

María y Tanner tienen la capacidad de volver a comunicarse entre sí, después de haber tenido una situación difícil. Han desarrollado una relación de confianza mutua.

RELACIONES DE CONFIANZA MUTUA

Aunque las relaciones debieran ser un punto de enfoque, a menudo su importancia se pasa por alto o bien no se comprenden completamente. De acuerdo con Zero to Three: National Center for Infants, Toddlers, and Families, (Cero a Tres: El Centro Nacional de la Familia para Bebés y Niños Pequeños), la clave para lograr un cuidado de calidad es la calidad de la relación entre (1) el niño y su familia, (2) el niño y el educador dedicado a los primeros años del niño, (3) el educador dedicado a los primeros años del niño y la familia y (4) los adultos involucrados en la relación.

EL NIÑO Y LA FAMILIA

Se debe dar de comer a los niños cuando tienen hambre, se les debe mantener abrigados y deben tener un lugar seguro donde dormir. También necesitan jugar y tener a alguien que los ayude a calmarse cuando están incómodos o necesitan consuelo. Y principalmente, los niños necesitan sentirse protegidos, seguros y amados por sus familias. La familia cumple con estas necesidades iniciales primero. La relación de los padres con sus hijos es el factor más importante para apoyar el desarrollo del niño.

EL NIÑO Y EL EDUCADOR DEDICADO A LOS PRIMEROS AÑOS DEL NIÑO

Toma tiempo establecer una relación con un niño. Usted puede decir y hacer todas las cosas "correctas" para promover un comportamiento apropiado, pero si la relación con el niño es nueva o su relación es generalmente negativa, puede que usted no sea efectivo.

A veces un niño tiene características o comportamientos que interfieren con la capacidad que usted tiene para disfrutar el estar con él. En estos casos, encuentre algo en ese niño que usted aprecie y enfóquese en desarrollar una relación positiva. No es necesario que a uno le gusten todos los niños del mismo modo para lograr tener una relación individual positiva con cada uno de ellos. ¿Tienen un interés común tal como la música, la ciencia o los rompecabezas? ¿Hay un momento en particular del día cuando es más fácil desarrollar una relación con este niño, como después de su siesta o cuando está leyendo libros? No obstante, para poder sentir una conexión con el niño, usted debe enfocarse en cada relación individualmente.

> "No es necesario que a uno le gusten todos los niños del mismo modo para lograr tener una relación individual positiva con cada uno de ellos."

EL EDUCADOR DEDICADO A LOS PRIMEROS AÑOS DEL NIÑO Y LA FAMILIA

Una fuerte asociación entre el educador dedicado a los primeros años del niño y la familia beneficia al niño en gran manera. Cuando los padres y el educador dedicado a los primeros años del niño trabajan juntos, pueden concentrarse en promover el desarrollo y aprendizaje de éste a través de las actividades diarias. Esta relación de calidad es el resultado de una comunicación cercana. Debido a que el educador dedicado a los primeros años del niño pasa mucho tiempo con ellos, a menudo, el educador se transforma en una extensión de cada familia. Por supuesto, para que una relación con la familia sea auténtica, debe estar basada en el respeto y en el apoyo mutuo. Este tipo de relación se logra con el tiempo.

LOS ADULTOS EN DISTINTOS ÁMBITOS

Las relaciones entre los miembros adultos del personal—educadores dedicados a los primeros años del niño, administradores, personal de apoyo— deberían estar basadas en la amistad, el respeto y en una filosofía compartida en cuanto al cuidado del grupo. Si hay especialistas que están involucrados en el ámbito de trabajo, para ayudar cuando hay niños con impedimentos físicos u otras necesidades especiales, también es importante que los miembros adultos del personal desarrollen una buena relación con ellos para promover la colaboración.

HACIENDO UNA PRIORIDAD LAS RELACIONES

El poner atención en las relaciones es importante. Ayuda a establecer el ambiente socio-emocional en su ámbito y modela un comportamiento positivo para los niños pequeños. Usted tiene la responsabilidad de comunicar este elemento central de calidad a los padres y de comprometerse a formar este tipo de relaciones.

Para comenzar este proceso de desarrollar una relación con la familia, busque maneras para tratar de conocer a la familia que no sean las conferencias entre padres de familia y maestros o de las pláticas sobre los problemas por los que el niño pueda estar pasando. Haga visitas a domicilio cuando un nuevo niño forma parte del grupo de cuidados infantiles. Incorpore oportunidades para establecer una interacción informal con los padres al inicio o al término del día o durante eventos especiales (paseos educativos, cenas con platillos preparados para compartir, etc.). No es raro intimidarse inicialmente frente a familias que hablan un idioma distinto al suyo. Sin embargo, es importante encontrar estrategias para desarrollar relaciones con todas las familias.

El tiempo dedicado a desarrollar relaciones con las familias es importante porque dará como resultado un cuidado que está más a tono con la familia de cada niño. Además, cuando surgen inquietudes o situaciones ya habrá una relación establecida con la cual poder trabajar. El tiempo dedicado a establecer una relación entre los otros miembros del personal también será un tiempo bien invertido. Las relaciones positivas entre los adultos contribuyen a un medio ambiente socio-emocional saludable en su ámbito.

Si poder desarrollar una relación es un desafío para usted, haga un esfuerzo para solucionar el tema. Para obtener información adicional, consulte la lista de recursos que se encuentra al final de esta sección.

SECCIÓN 1
RECURSOS

 SITIOS WEB

Zero to Three (Cero a Tres)
http://www.zerotothree.org
"Cero a Tres es el recurso líder en todo el país para encontrar información sobre los primeros tres años de vida de los niños. Somos una organización nacional caritativa sin fines de lucro, cuyo objetivo es fortalecer y apoyar a las familias, a los practicantes y a los que promueven un desarrollo saludable para los bebés y para los niños pequeños."

Positive Discipline (Disciplina positiva)
http://www.positivediscipline.com
"Disciplina Positiva está dedicada a proporcionar educación y recursos que promueven y fomentan el continuo desarrollo de las habilidades de la vida y de las relaciones respetuosas en las familias, escuelas, negocios y sistemas de la comunidad. Este sitio presenta información y artículos de Jane Nelson, la autora de *Positive Discipline* (Disciplina positiva) y otros libros."

San Diego Association for the Education of Young Children (Asociación de San Diego para la Educación de Niños Pequeños)
(SDAEYC, por sus siglas en inglés)
http://www.sandiegoaeyc.org
SDAEYC tiene un grupo de enfoque en la salud mental y un comité para "Detener la violencia en la vida de los niños pequeños," que trata la importancia de las relaciones para aquellos que cuidan niños pequeños.

National Head Start Association (NHSA) (Asociación Nacional de Head Start)
http://www.nhsa.org
El artículo de la NHSA, "El realce de la salud mental en el niño pequeño: ¿Cómo pueden los educadores responder a los niños que han sido afectados por la violencia en la comunidad?," apareció en el número de la revista de Niños y Familias, del verano del 2001.

LIBROS

Brazelton, T.B. (1992). *Touchpoints: Your Child's Emotional and Behavioral Development (Puntos de contacto: El desarrollo emocional y el comportamiento de su hijo)*. Reading, MA: Addison-Wesley Publishing Company.

Covey, S. (1990). *The 7 Habits of Highly Effective People. (Los 7 hábitos de la gente altamente efectiva)*. New York, NY: Simon y Schuster.

Faber, A. y Mazlish, E. (1980). *How to Talk So Kids Will Listen and Listen So Kids Will Talk (Cómo hablar para que los niños escuchen y escuchar para que los niños hablen)*. New York, NY: Avon Books.

Nelsen, J. (1996). *Positive Discipline (Disciplina positiva)*. New York: Ballantine Books.

Nelsen, J. (2000). *From Here to Serenity: Four Principles for Understanding Who We Really Are (De aquí a la serenidad: Cuatro principios para comprender quiénes realmente somos)*. Roseville, CA: Prima Publishing.

 VIDEO

Reframing Discipline (El replanteamiento de la disciplina). Educational Productions: 1-(800)-950-4949. http://www.edpro.com.

LAS RELACIONES

SECCIÓN 2
CARACTERÍSTICAS
Y PREFERENCIAS

Una historia de la vida real

Los niños entraron corriendo, entusiasmados por comenzar el proyecto de arte. Tony fue el último en entrar por la puerta. Freda miró desde la mesa donde estaba repartiendo la pintura y el papel. "Tony, ¿quieres pintar?" Tony miró a Freda, pero no se acercó a ella. "Es tímido", dijo Marta, su hermana. "Nunca hace nada rápido. Especialmente, cuando no lo ha hecho nunca antes. Ven, Tony, está bien". Freda se rió. "No creo que sea tímido, ¿verdad, Marta?" "Creo que a Tony le gusta observar antes de participar. No hay apuro". Tony sonrió y se puso la mano en la boca. Se acercó un poquito más y miró a Marta muy de cerca. Marta se apuró en llevar a cabo el dibujo y se levantó a lavarse las manos. Tony se sentó bien en la silla y miró a Freda de reojo. "Llegó tu turno, Tony; aquí tienes papel y pintura". Tony comenzó a poner los dedos en la pintura, uno por uno y, cuidadosamente, hizo una serie de puntos en la hoja. "¡Mira, hermana, un arco iris!" exclamó Tony. Marta lo miró rebosando de alegría y luego volvió a su juego de autos.

Todos nosotros tenemos características de personalidad y preferencias especiales. ¿Te gusta lanzarte de lleno e intentar cosas nuevas, como Marta? O como Tony, ¿prefieres observar por un rato antes de empezar? Su respuesta nos dará información sobre su temperamento. Se ha dicho que la necesidad más grande que tienen los seres humanos es la de ser comprendidos por otra persona. Tener entendimiento sobre el ***temperamento*** de otra persona es importante para promover el entendimiento entre ambos.

TEMPERAMENTO

Los investigadores Chess y Thomas se preguntaron que es lo que hace que los humanos sean únicos.[2] En 1956 comenzaron a entrevistar a los padres y a observar a los hijos. Identificaron nueve rasgos o características: el nivel de actividad, los ritmos biológicos, la adaptabilidad, la accesibilidad, la sensibilidad, la intensidad de las reacciones, el nivel de distracción, la calidad del humor y la persistencia. Luego de seguir a los niños por 35 años, los investigadores concluyeron que a menos que alguien tenga una experiencia dramática en la vida, los rasgos permanecen estables. Sólo las respuestas externas de las personas cambian. A medida que las personas envejecen aprenden técnicas para manejar y modificar sus tendencias naturales para poder "encajar" mejor.

Los bebés y los niños pequeños todavía no saben cómo, cuándo o por qué modificar sus reacciones y tendencias naturales. Como adultos; debemos, por lo tanto, acomodarnos al temperamento de cada niño bajo nuestro cuidado.

BONDADES DE LA ADECUACIÓN

Considerar las nueve características es una de las formas de comenzar a comprender y a valorar a un niño bajo su cuidado, a un padre/madre del niño que usted está enseñando o a un compañero miembro del personal o a un supervisor. Chess y Thomas describen cómo la interacción entre nuestros rasgos diferentes del temperamento pueden tener un impacto en la manera en que nos llevamos los unos con los otros—la adecuación entre adultos y niños. Las características temperamentales entre los adultos y los niños en su ámbito pueden producir una complementación o un conflicto entre ellos. Un adulto muy activo puede disfrutar de un niño activo. Es posible que haya más conflicto si ambos el adulto y el niño tienen reacciones intensas. Al observar a grupos de niños, usted se puede preguntar: ¿Cómo pueden las características individuales de cada uno de ellos funcionar en combinación con los rasgos de otros niños? ¿Cómo funcionan con mis rasgos y mi estilo de enseñanza? ¿Cuáles características pueden influenciarme de un modo equivocado?

Para poder comprender y posiblemente modificar sus propias características temperamentales, usted primero debe estar consiente de cuáles son éstas. Consulte los recursos que esta sección tiene en cuanto a libros y consulte las páginas Web para encontrar material en cuanto a cómo examinar su propio temperamento y el de los niños bajo su cuidado.

DESCRIBIENDO A LOS NIÑOS

Mary Sheedy Kurcinka, autora del libro: *Raising Your Spirited Child (Educando a su hijo enérgico)*, ha llevado a cabo un intenso trabajo dedicado a los rasgos de temperamento. Ella ha ayudado a padres y a profesionales a ver que las clasificaciones y las descripciones que se le ponen a un niño pueden cambiar dramáticamente la forma en que los adultos se relacionen con éste.

LAS RELACIONES

Piense en un niño que le presenta un reto y escriba algunas palabras que lo describan. ¿Son esas palabras en su mayoría negativas? ¿Puede usted encontrar una descripción alternativa más positiva o neutral? Describir al niño de un modo diferente es una forma poderosa de comenzar a pensar de un modo distinto con respecto al comportamiento de ese niño. Al ver el comportamiento de un modo diferente le ayuda entonces a considerar las posibles motivaciones del niño y a intentar nuevas estrategias para poder comprenderlo mejor.

A continuación encontrará una lista de ejemplos de palabras comúnmente utilizadas en forma negativa y los términos positivos correspondientes.

CLASIFICACIONES NEGATIVAS	SE CONVIERTE EN	CLASIFICACIONES POSITIVAS O NEUTRALES
FUERTE	⟶	DRAMÁTICO
AGRESIVO	⟶	FIRME Y ENÉRGICO
NECIO	⟶	PERSISTENTE
TIENE PROBLEMAS PARA PASAR DE UNA ACTIVIDAD A OTRA	⟶	LE GUSTA TERMINAR LA ACTIVIDAD COMPLETAMENTE

Cuando se le clasifica de necio a un niño y se dice que tiene dificultades con las *transiciones* probablemente produce una forma de pensar distinta a si se le describiera como un niño persistente y al cual le gusta terminar totalmente sus actividades. Kurcinka declara que al identificar las características de un niño y al clasificarlo positivamente, usted está usando palabras que envuelven a nuestros niños en un armazón protector, que les da la fuerza que necesitan para llevar a cabo los cambios del comportamiento que efectivamente transforman el comportamiento inadecuado en acciones aceptables."[3]

DIFERENTES MÉTODOS DE APRENDIZAJE

Usted probablemente ha escuchado que existen distintas formas en que a la gente le gusta aprender. ¿Ha usted alguna vez pensado en lo que eso significa exactamente? ¿Sabe usted cómo aprende mejor? ¿Sabe que usted probablemente enseña a otros usando los métodos de estilos de aprendizaje que usted prefiere? Puede servir de ayuda observar su aprendizaje y estilo de enseñanza y pensar en los estilos de aprendizaje de los niños bajo su cuidado. Use lo que descubra sobre sus propias formas de aprendizaje para que esto le ayude a identificar áreas en la cuales puede mejorar en su trabajo con los niños para que utilice todos los estilos de aprendizaje.

Existen muchas teorías en cuanto a cómo aprenden las personas. Aquí tratamos dos de ellas: Estilos de aprendizaje e inteligencias múltiples. Véase la Sección de Recursos para más detalles.

ESTILOS DE APRENDIZAJE

A las personas les gusta recibir información y aprender de distintas maneras. Cuando usted está consiente de estos estilos de aprendizaje, es más fácil poder identificar los diferentes enfoques para la misma actividad de trabajo. Los cuatro estilos de aprendizaje son:

- auditivo (al escuchar)

- visual (al mirar)

- kinestésico (al hacer)

- tacto (al tocar)

Aunque la mayoría de las personas aprenden a usar una combinación de los estilos de audición, visual, kinestésico y del tacto; uno de ellos es generalmente el preferido. Existen varios proyectos de investigación que documentan las formas preferidas de aprendizaje entre el público en general, con la mayoría de los adultos prefiriendo el estilo visual. Los niños más pequeños normalmente comienzan su aprendizaje usando el tacto y el aspecto kinestésico antes de que añadan el aprendizaje auditivo y visual a sus capacidades. Con el tiempo los niños desarrollan estilos preferenciales de aprendizaje.

INTELIGENCIAS MÚLTIPLES

Otra teoría sobre preferencias el aprendizaje, que ha ganado popularidad en los últimos años, es la idea de inteligencias múltiples . Esta teoría, propuesta por primera vez por el Dr. Howard Gardner,[4] estudia todas las distintas formas en que los niños (y adultos) son "inteligentes." El Dr. Gardner originalmente identificó siete inteligencias y añadió una octava y una novena a medida de que éstas fueron validadas. Las nueve son: kinestésica-corporal, lingüística-auditiva, musical-auditiva, lógica-matemática, espacial-visual, interpersonal, intrapersonal, naturalista y existencial. El Dr. Gardner indica que todas las personas tienen las nueve formas de inteligencia en distintas proporciones.

> "...todas las personas tienen las nueve formas de inteligencia en distintas proporciones."

Aunque usted puede ser más fuerte en algunas áreas que en otras, usted necesita nutrir todas las inteligencias en usted mismo y en los niños con quienes interactúa. Descubrir más acerca de estas inteligencias lo puede ayudar a encontrar las cualidades en los niños, incluso incluyendo las cualidades de aquellos niños a quienes usted sirve y que le presentan un desafío.

LAS RELACIONES

SECCIÓN 2
RECURSOS

 SITIOS WEB

The Preventive Ounce (La Onza Preventiva)
http://www.preventiveoz.org
"Este sitio Web interactivo le permite ver más claramente el temperamento de su hijo, encontrando tácticas que realmente sirven para la crianza de su hijo."

Nurturing Our Spirited Children
(Dando afecto a nuestros hijos llenos de vida)
http://www.nurturingourfamilies.com/spirited/index.html
"Nosotros somos el recurso para los padres que están educando a niños enérgicos, con muchas necesidades, de caracteres fuertes, activos, despiertos o difíciles."

The Program for Infant Toddler Caregivers (PITC) (Programa para los proveedores de cuidados infantiles para bebés y niños pequeños)
http://www.pitc.org
PITC tiene información disponible sobre el temperamento a través de su módulo de entrenamiento y en el sitio Web.

What's Your Child's Learning Style?
(¿Cuál es el estilo de aprendizaje de su hijo?)
http://www.parentcenter.babycenter.com/calculators/learningstyle
"Cada niño aprende de un modo distinto, usando el sentido de la visión, del oído, o del tacto para dominar la información nueva. Para descubrir si su hijo aprende principalmente en forma visual, auditiva o física, tome esta prueba."

Learning Styles Resource Page
(Página de recursos para estilos de aprendizaje)
http://www.oswego.edu/CandI/plsi
"Haga un inventario de los estilos de aprendizaje. Aprenda sobre cada uno de los modelos más comúnmente usados. Aprenda más sobre su estilo de aprendizaje." Esta página tiene enlaces hacia muchos otros sitios.

LD (Learning Disability) Pride (Orgullo DL) (Problemas de aprendizaje)
http://www.ldpride.net/learningstyles.MI.htm
"La información sobre estilos de aprendizaje e inteligencias múltiples (MI) es de ayuda para todos, especialmente para aquéllas personas con

problemas de aprendizaje y trastornos de falta de atención. Conocer su estilo de aprendizaje le ayudará a desarrollar estrategias que compensen sus debilidades y capitalicen sus cualidades Esta página proporciona una explicación con referencia a lo que se refiere con estilos aprendizaje e inteligencias múltiples, una evaluación interactiva de su estilo de aprendizaje/ inteligencias múltiples y consejos prácticos para lograr que el estilo de aprendizaje que usted tenga le funcione."

VARK (Visual Aural Read/Write Kinesthetic) (VARK- Lectura visual auditiva/escritura cinestética)
http://honolulu.hawaii.edu/intranet/committees/FacDevCom/guidebk/ teachtip/vark.htm
"VARK es un cuestionario que les proporciona a los usuarios un perfil de sus preferencias. Estas preferencias tienen que ver con la forma en que quieren recibir o entregar información durante el proceso de aprendizaje."

Learning to Learn (Aprendiendo a aprender)
http://www.ldrc.ca/projects/projects.php?id=26
"Aprendiendo a aprender es para alumnos, maestros e investigadores. Enseña el valor de la auto-conscientización como un aspecto crítico del aprendizaje. Aprendiendo a aprender es un curso, un recurso y una fuente de conocimiento sobre el aprendizaje y sobre cómo se puede desarrollar en los niños y en los adultos y sobre cómo difiere entre los alumnos."

Abiator's Online Learning Styles Inventory (Inventario de los estilos de aprendizaje de Abiator a través del Internet)
http://www.berghuis.co.nz/abiator/lsi/lsiintro.html
"Las pruebas sobre los estilos de aprendizaje en este sitio tienen el propósito de ayudarlo a lograr una mayor comprensión sobre usted mismo como discípulo al subrayar las formas en que usted prefiere aprender o procesar información."

The Multiple Intelligence Inventory (El inventario de la inteligencia múltiple)
http://www.ldrc.ca/projects/projects.php?id=42
"El inventario de la inteligencia múltiple se basa en la obra original de Howard Gardner en la década de los 80. Desde que él comenzó su obra, la idea de 'inteligencias múltiples' ha llegado a tener un efecto significativo en el pensamiento de muchos investigadores y educadores. Se ha agregado una 'inteligencia adicional' al inventario, por cortesía de Gary Harms, que trata de estilos y habilidades asociados con una conciencia del medio ambiente que lo rodea a uno, de la física y de un conocimiento de la 'naturaleza de las cosas'."

 LIBROS

Armstrong, T. (1987). *In Their Own Way: Encouraging Your Child's Personal Learning Style (A la manera de ellos: Fomentando el estilo de aprendizaje personal de su hijo).* Los Ángeles, CA: Jeremy P. Tarcher, Inc.

Budd, L. (1993). *Living with the Active Alert Child: Groundbreaking Strategies for Parents (La vida con el niño despierto y activo: Estrategias completamente nuevas para los padres).* Seattle: Parenting Press, Inc.

Chen, J. (Ed.), Gardner, H., Feldman, D.H. y Krechevsky, M. (1998). *Project Spectrum: Early Learning Activities (Proyecto Spectrum: Actividades para el aprendizaje temprano).* New York, NY: Teachers College Press.

Chess, S. y Thomas, A. (1996). *Temperament: Theory and Practice (Temperamento: Teoría y práctica).* New York, NY: Brunner-Mazel.

Gardner, H. (1983). *Frames of Mind: The Theory of Multiple Intelligences (Estados mentales: La teoría de las inteligencias múltiples).* New York, NY: Basic Books.

Greenspan, S. y Salmon, J. (1995). *Challenging Child: Understanding, Raising and Enjoying the Five "Difficult" types of Children (El niño desafiante: Conocer, criar y disfrutar a los cinco tipos de niños "difíciles").* Reading, MA: Addison-Wesley Pub Co.

Kline, P. (1988). *The Everyday Genius: Restoring Children's Natural Joy of Learning and Yours too (El genio de la vida diaria: Restauración del gozo natural del aprendizaje, en el niño— y también en usted).* Arlington, VA: Great Ocean Publishers.

Kurcinka, M.S. (1992). *Raising Your Spirited Child: A Guide for Parents Whose Child is More Intense, Sensitive, Perceptive, Persistent, and Energetic (Educando a su hijo enérgico: Una guía para los padres cuyos hijos son más intensos, sensibles, perceptivos, persistentes y enérgicos).* New York, NY: Harper Collins.

Tureki, S. (1989). *The Difficult Child (El niño difícil).* New York, NY: Bantam Books.

LAS RELACIONES

GLOSARIO DE CONSULTA RÁPIDA

temperamento: características o rasgos que normalmente se observan en las reacciones de una persona

transición: movimientos entre actividades, lugares, ámbitos o personas

SECCIÓN 3
VALORES Y CREENCIAS SOBRE EL COMPORTAMIENTO

Una historia de la vida real

Donna y Naomi estaban almorzando juntas en la sala del personal. "¿Cómo es que aún te queda energía?" preguntó Naomi. "Cuando yo tenía tu grupo el año pasado—toda esa actividad y toda esa habladuría era demasiado para mí". Donna trató de no parecer sorprendida. Era nueva en la escuela y sabía que Naomi era una maestra bien respetada. El director le había dicho a Donna que Naomi casi renunció porque había encontrado que este grupo de alumnos eran un desafío muy grande para ella. Donna había estado muy preocupada cuando empezó con este grupo en septiembre. Los niños eran todos estudiantes que habían estado en la clase de Naomi y realmente tenían una reputación. Donna siguió esperando a que se presentara la mala conducta de la cual se había quejado Naomi, pero nunca llegó. Disfrutaba profundamente esta clase curiosa y llena de entusiasmo. Donna apenas sonrió y le dijo a Naomi, "Bueno,¡creo que realmente maduraron durante las vacaciones de verano!"

Un comportamiento que produce un desafío solamente existe en los ojos del que mira. Donna ve a los niños y piensa que tienen entusiasmo y que son curiosos. Naomi ve a los mismos niños y piensa que son muy activos y que hablan mucho. Existen muchas razones por las cuales se puede decir que el comportamiento de un niño es desafiante. La forma en que cada adulto reacciona frente a la vida del niño e interpreta el comportamiento de éste contribuye a su clasificación. A menudo, los niños de quienes se piensa que son un desafío son aquellos que interfieren con el "status quo" o que contradicen los valores del adulto. Los adultos tienen una opinión muy fuerte sobre lo que un niño debería y no debería hacer y se basan para esto en la crianza que ellos recibieron, en sus valores culturales, en su educación y en su entrenamiento.

Los valores que usted tiene sobre cómo alguien debe comportarse pueden ser muy diferentes a los valores de las familias a las cuales usted sirve. Algunos de los comportamientos que usted puede encontrar desafiantes o difíciles pueden ser aceptables e incluso deseables en el medio ambiente del hogar del niño. Por ejemplo, algunas familias valoran que los niños digan lo que piensan, cuestionen a los adultos y tomen sus propias decisiones.

Un niño que obedece y que siga las reglas se puede juzgar como un niño débil o inmaduro, dentro de su comunidad. En otras familias un niño que hable antes que el adulto o que tome sus propias decisiones se puede considerar como descortés, irrespetuoso o fuera de lugar. Sepa cuáles son sus propios valores y descubra que tan compatibles son con los valores de las familias a quienes usted sirve.

Para cambiar la forma en que usted reacciona frente a un comportamiento determinado, puede que sea necesario que ajuste la forma en que piensa sobre ese comportamiento y la forma en que lo aborda. La autoreflexión es a menudo la mejor herramienta con la cual se debe comenzar porque le ayuda a descubrir lo que usted piensa. *Lo que usted piensa determina lo que usted hace.*

REACCIONES EMOCIONALES

Los adultos tienen la tendencia a reaccionar en forma emocional frente a los comportamientos desafiantes de los niños debido a que los niños tienen la habilidad de irritarlos. La irritación que nos producen tiene su base en reacciones químicas. El cerebro procesa información y responde en forma reflexiva, reactiva, emocional y analítica (Figura 1). Recientes investigaciones sobre el cerebro ofrecen una imagen de las rutas que toma la energía de un pensamiento mientras pasa por el cerebro. Daniel Goleman, en *Emotional Intelligence (Inteligencia emocional),*[5] resume cómo en un momento de crisis, la ruta habitual recibe un corto circuito. Esto puede ser bastante útil cuando nos enfrentamos a una emergencia que requiere una respuesta refleja (Figura 2).

LAS ÁREAS DE NUESTRO CEREBRO

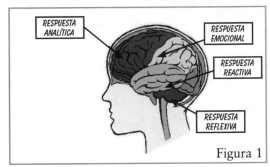

Figura 1

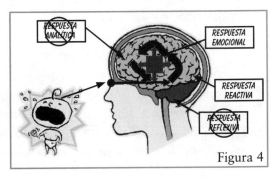

Figura 2

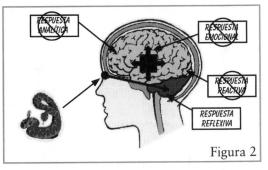

Figura 3

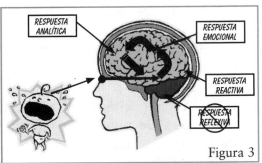

Figura 4

Pero, si una experiencia intensa se vuelve a repetir, el corto circuito puede transformarse en la reacción preestablecida. Por ejemplo, si un niño pequeño llora, usted generalmente va a él para consolarlo (Figura 3). ¿Qué tal si usted le da consuelo al niño, pero éste le pega? ¿Qué tal si esto pasa varias veces al día (Figura 4)? En este punto, el cerebro deja de analizar y reacciona, normalmente, con una respuesta emocional. La "energía del pensamiento" puede quedarse atorada en una parte primitiva del cerebro que entrega una respuesta de sobrevivencia del tipo "pelea o escapa" que nos agita y nos perturba.

Los comportamientos que nos producen un desafío aprietan el botón del corto circuito. Cuando esto sucede, es el momento de reajustar la energía del pensamiento para no sufrir el riesgo de tener una sobre carga. A veces el corto circuito está establecido en base a las experiencias pasadas, a su sistema de valores o a sus creencias. Puede ser que descubra que sin pensarlo reacciona a un tipo de comportamiento específico, tal y como el escupir, el lloriquear o el maldecir. Estas acciones pueden irritar puntos específicos del cerebro que usted ni siquiera sabía que existían.

Posponer la acción, cuando se irrita el punto específico del cerebro debido a un desafío producido por un niño, da tiempo para que los pensamientos lleguen a la parte de su cerebro más desarrollada y analítica. Esta demora le permite considerar más cuidadosamente su próximo paso. La parte más refinada del cerebro puede pensar acerca de sus propios procesos de pensamientos, tiene acceso a todo lo que sabe y hace decisiones cuidadosas cuando se trata de interpretaciones y de acciones. Usted tendrá la oportunidad de actuar en lugar de reaccionar.

APRENDIENDO DE LOS DEMÁS

Si en su ámbite usted tiene varios miembros del personal, guíelos en cuanto a discutir sus creencias en lo que respecta al comportamiento de los niños y pregúnteles qué es lo que los irrita. Además, comparta sus propias creencias e ideas. Ponga atención a lo que las personas con distintos antecedentes familiares, culturales, generacionales o áreas del país tienen que decir. Lo que ellos respondan puede ser aleccionador y puede darle perspicacia e ideas nuevas. Consideren juntos por qué ciertos comportamientos los afectan del modo en que lo hacen. Al entender lo que está detrás de sus reacciones usted y su personal pueden cambiar la forma en que reaccionan y reclamar la habilidad de pensar y reflexionar antes de actuar. Un ejemplo de cómo entender lo que está detrás de una reacción se puede ver en la sección de resolución de problemas, en las páginas 87-93.

LAS RELACIONES

SECCIÓN 3
RECURSOS

 LIBROS

Glenn, H.S.y Nelsen, J. (1989). *Raising Self-Reliant Children in a Self-Indulgent World (La crianza de niños con confianza en sí mismos en un mundo de auto-indulgencia)*. Rocklin, CA: Prima Publishing and Communications.

Goleman, D. (1995). *Emotional Intelligence (Inteligencia emocional)*. Nueva York, NY: Bantam Books.

González-Mena, J. (1995). *Dragon Mom: Confessions of a Child Development Expert (Mamá dragón: Confesiones de un experto en desarrollo infantil)*. Napa, CA: Rattle OK Publications.

Lieberman, A. (1995). *The Emotional Life of the Toddler (La vida emocional de un niño pequeño)*. New York, NY: Free Press.

Nelsen, J. (1996). *Positive Discipline (Disciplina positiva)* New York, NY: Ballantine Books.

Rodd, J. (1996). *Understanding Young Children's Behavior (Entendiendo el comportamiento de los niños pequeños)*. New York, NY: Teachers College Press.

Strain, P.S. y Hemmeter, M.L. (1999). Keys to Being Successful When Confronted with Challenging Behavior *(La clave del éxito cuando nos vemos expuestos a un comportamiento desafiante)*. En el libro de S. Sandall y M. Ostrosky (Eds.), *Practical Ideas for Addressing Challenging Behaviors (Ideas prácticas para responder a comportamientos desafiantes). Serie de Monografías sobre* Niños Pequeños Excepcionales. *División de los Primeros Años del Niño*. Longmont, CO: Sopris West.

 VIDEO

Reframing Discipline (Disciplina reestructurada). Educational Productions: 1-(800)-950-4949. http://www.edpro.com

SECCIÓN 4
CULTURA Y LENGUAJE

Historia de la vida real

Era el cumpleaños de Benjamín y su familia iba a venir a celebrar con él durante la hora de los bocadillos. Benjamín se alegró cuando llegaron sus padres, su abuelita y su tía. Les mostró muy orgulloso la guardería infantil que se encontraba en el hogar de Susana, mientras hablaba con ellos en hebreo. Susana los invitó a sentarse y ellos compartieron los pastelitos especiales que habían traído. La tía de Benjamín se disculpó porque todos ellos estaban hablando en hebreo enfrente de los niños, sabiendo que nadie más hablaba ese idioma. El papá de Benjamín dijo, "No te preocupes, ¡Susana habla hebreo!" Susana se rió y dijo, "De Benjamín he aprendido algunas palabras y frases y también lo han hecho los demás niños. ¿Te gustaría mostrarnos cómo cantan las mañanitas (feliz cumpleaños)?" Susana estaba feliz de que la familia de Benjamín apreciara el esfuerzo que ella había hecho en aprender un poco de hebreo. Ella realmente se había superado mucho desde que Benjamín entró a la guardería infantil que tiene en su hogar.

Debido a que las relaciones son importantes, es fundamental poder comunicarse e interactuar con un niño que tiene un antecedente cultural distinto al suyo o que habla otro idioma. Trabajar con una variedad de niños producirá muchas oportunidades para que usted se supere y reflexione. El programa y los niños también se beneficiarán si usted aprende a tratar en forma efectiva con tensiones de tipo cultural o étnico, con racismo y con discrepancias de poder entre educadores dedicados a los primeros años del niño y administradores o educadores dedicados a los primeros años del niño y sus familiares. Al examinar y tratar estos temas en una forma positiva aumentará su conocimiento sobre el comportamiento de los niños.

LA CULTURA

Lo que las personas creen en cuanto a cómo los niños y los adultos deberían comportarse se desarrolla durante la niñez y se ve grandemente influenciado por la familia, la cultura y la comunidad. Si usted trabaja con niños que vienen de una cultura o comunidad distinta a la suya, es importante que aprenda y que comprenda cuáles son las expectativas que la familia y la comunidad tiene de ellos en cuanto al comportamiento.

Para aprender a conocer a la familia, utilice preguntas de respuesta abierta que den lugar a respuestas no esperadas. Por ejemplo, al hacer preguntas tales como "¿Qué cosas hacen juntos como familia?" o, "Dime ¿cómo te preparas para irte a dormir?" obtendrá mucha información sobre la relación entre el niño y el adulto, el tipo de actividades que se llevan a cabo en el hogar y las expectativas de los padres.

Los miembros del personal y otros individuos que usted conozca en la comunidad le pueden dar ideas adicionales en cuanto a preguntas y temas para tratar con mayor profundidad con la familia. Sin embargo, aprender acerca de la comunidad no le dirá todo lo que usted necesita saber sobre un niño en particular y sobre su familia. Cuando buscamos entendimiento, es importante evitar estereotipos y generalizaciones.

EL IDIOMA

Los idiomas que los niños hablan y escuchan en la casa y en la escuela también pueden tener una tremenda influencia en su comportamiento. Los niños que escuchan y hablan en la casa otro idioma que no sea el inglés, cuando están en la escuela están inmersos en un ambiente con un idioma extranjero. Sucederá que el cambio en el comportamiento será temporal para algunos y de duración a largo plazo para otros. Aunque aquellos niños para quienes el inglés es su segunda lengua pueden comprender bastante sobre lo que sucede a su alrededor, podrían perder algunas indicaciones sobre cómo comportarse.

INSTRUCCIONES VERBALES

Usted puede encontrar que algunos niños que están aprendiendo inglés tienen dificultades con instrucciones verbales, particularmente con aquellas que son largas. A menudo los niños se quedan atascados al tratar de entender la primera parte de la instrucción y no son capaces de procesar y seguir las instrucciones en su totalidad. Por ejemplo:

Es tiempo de limpiar. Por favor guarden los bloques y asegúrense de separar aquellos que son de plástico de aquellos que son de madera. Nos juntaremos al frente del salón para la lectura de cuentos en sólo algunos minutos. ¡Deseo que todos participen!

¿Cuánto de esa lista de instrucciones podrán absorber los niños que apenas están aprendiendo el idioma? ¿Cómo reaccionará usted cuando los niños tienen problemas al llevar a cabo todo lo que se les está pidiendo?

Un niño que no entiende completamente las instrucciones podrá mirar a sus amigos para ver lo que ellos están haciendo. Dependiendo de a quién siga, es posible que lleve a cabo sólo una pequeña parte de las instrucciones y correrá el riesgo de tener problemas por no clasificar los bloques cuando los guarde y por no llevarlos al área del salón de clase que corresponda. También tal vez no ponga atención a lo que usted está diciendo y siga jugando. O puede sentirse frustrado por su falta de capacidad para comprender lo que está pasando y tirar los bloques; o pelear con otro niño que está tratando de guardarlos.

> "Para adaptar a un niño que está aprendiendo inglés...desarrolle formas creativas para comunicar las expectativas que se tienen."

COMUNICACIÓN DE EXPECTATIVAS

Para adaptar a un niño que está aprendiendo inglés en el ámbito que usted maneja, desarrolle formas creativas para comunicar las expectativas que se tienen:

• Pídale a alguien que hable la lengua materna del niño que le repita las instrucciones en esa lengua.

• Use indicaciones que no sean verbales (tal y como dibujos sobre lo que se espera, sobre lo que viene y sobre lo que el niño podría estar haciendo), esto para complementar las instrucciones.

• Acérquese al niño individualmente para verificar su nivel de entendimiento y si es necesario repítale y demuéstrele distintas partes de la instrucción.

• ¡Mantenga las instrucciones simples! La mayoría de los niños en edad preescolar, aún en su lengua materna, sólo pueden recordar dos o tres instrucciones a la vez.

Déle oportunidades al personal que habla la lengua materna del niño de que establezcan una relación más cómoda con él. Si nadie en la guardería habla el idioma del niño, asigne a una persona para que ésta trabaje en forma cercana con el niño y su familia, desde el momento en que el niño ingresa al programa hasta que se salga de éste. El educador principal dedicado a los primeros años del niño puede aprender algunas frases claves que el niño usa, puede aprender la comunicación no verbal de éste y llegar a ser un recurso consistente y predecible para el niño durante el día. Comuníquese con la familia en forma regular (use un intérprete, si es necesario) para aprender lo que el niño dice sobre sus experiencias en su guardería.

SECCIÓN 4
RECURSOS

SITIOS WEB

CLAS Early Childhood Research Institute (Instituto de Investigación de los Primeros Años del Niño, CLAS)
http://clas.uiuc.edu
"El Instituto de Investigación de los Primeros Años del Niño en Servicios Culturales y Lingüísticamente Apropiados (CLAS) identifica, evalúa y promueve prácticas de intervenciones tempranas, efectivas y apropiadas y prácticas preescolares que son delicadas y respetuosas de los niños y de las familias con antecedentes culturales y lingüísticos diversos. El sitio Web de CLAS presenta una base de datos dinámica y que evoluciona constantemente, ya que contiene materiales que describen prácticas apropiadas tanto culturales como lingüísticas para los primeros años del niño y servicios de intervención temprana. En este sitio, encontrará descripciones de libros, cintas de video, artículos, manuales, folletos y cintas de audio. Adicionalmente, existen diversos enlaces de sitios Web e información en una variedad de idiomas. El Instituto CLAS fue fundado por la Oficina de Programas de Educación Especial del Departamento de Educación de los EE.UU."

LIBROS

Derman-Sparks, L. y ABC Task Force (Grupo de estudio). (1989). *Anti-Bias Curriculum: Tools for Empowering Young Children (Plan de estudios contra el prejuicio: Herramientas para conferir poderes a los niños pequeños)*. Washington, DC: NAEYC.

Genesee, F. (Ed.). (1994). *Educating Second Language Children: The Whole Child, the Whole Curriculum, the Whole Community (Educando niños en una segunda lengua: El niño en su totalidad, el plan de estudios en su totalidad, la comunidad en su totalidad)*. Cambridge, UK: Cambridge University Press.

Klein, M.D. y Chen, D. (2001). *Working with Children from Culturally Diverse Backgrounds (Trabajando con niños con antecedentes culturales diversos)*. Albany, NY: Delmar.

Paley, V.G. (2000). *White Teacher (El maestro blanco)* Cambridge, MA: Harvard University Press.

Schinke-Llano, L. y Rauff (Editores.). (1996). *New Ways of Teaching Young Children (Nuevas maneras de enseñanza para los niños pequeños)*. Alexandria, VA: Teachers of English to Speakers of Other Languages, Inc.

SECCIÓN 5
¿Y QUÉ PASA CON MIS EMOCIONES?

Una historia de la vida real

Jeff vino al centro de cuidados para recoger a Erik y se sentó en la silla cúbica. Erik trajo un libro para leer con sus papá. "¿Cómo te fue hoy?" Le preguntó Jeff. "Bien, todo salió bien," respondió Brooke, la maestra. "¿Está todo bien en la casa?" "Sí, claro." Desde que la mamá de Erik volvió del extranjero, las cosas son mucho más fáciles." Quisiera poder decir lo mismo, pensó Brooke. Erik solía estar contento sólo con acurrucarse conmigo. Pienso que su mamá lo mima mucho. Siempre quiere atención inmediata. No sé si estoy hecha para un grupo de niños de esta edad. Tal vez debería de cambiar de salón de clase. Tal vez Erik puede cambiar de salón. Mañana hablaré con el director. Siempre me gustó cuidar a los niños cuando fui adolescente. Pensé que este trabajo sería más divertido.

¿Por qué trabaja usted con niños y familias? Es importante pensar qué es lo que le trajo a esta actividad y qué es lo que le mantiene aquí. Trabajar con niños y familias puede ser muy recompensante, pero también puede ser muy agotador, tal y como Brooke está descubriendo. Cuidar niños es una profesión de gran valor y en estos últimos años se ha puesto un mayor énfasis en lo que respecta al profesionalismo. Continuar con un entrenamiento profesional y reflexionar sobre sus experiencias lo puede ayudar a mantenerse unido a lo que le da satisfacción.

LIMITACIONES

La razón principal por la cual las personas trabajan es para ganar dinero para sí mismos y para los miembros de sus familias. Muchas personas prefieren trabajar en un empleo que les de satisfacción y en donde pueda utilizar sus conocimientos y sus habilidades. Algunas personas descubren que lo que los atrajo a su trabajo—como el ser queridas por los niños—puede también motivarlos a actuar fuera de sus capacidades profesionales—compitiendo con los padres por el cariño del niño.

Como un educador dedicado a los primeros años del niño, debe comprender el concepto de los límites—saber cuándo cruza la línea de hacer su propio trabajo a suplir sus necesidades personales a través del trabajo. El establecimiento de los límites pueden evitar que se agote y lo puede ayudar a obtener una perspectiva emocional o psicológica frente a un problema que le presenta un desafío.

Por ejemplo, si un niño en su trabajo se encariña con usted y no parece estar muy encariñado con sus padres, lo profesional es hablar con los padres acerca de esto. Su meta como un educador dedicado a los primeros años del niño es recomendar y apoyar el acercamiento del niño hacia sus padres. Sin embargo, si sus necesidades personales de afecto y cariño sólo están siendo suplidas por medio de este niño, puede ser difícil establecer sus propios sentimientos y apoyar la relación del niño con sus padres. Saber cuáles son sus propias necesidades le ayudará a estar pendiente en cómo el satisfacer esas necesidades puede distorsionar la línea entre un comportamiento personal y uno profesional.

APRENDA DE SUS EMOCIONES

¿Cómo pueden sus emociones tener un impacto en el trabajo que usted desempeña con niños que presentan un comportamiento desafiante? Al trabajar con los niños, es muy importante que encuentre los medios que lo hagan sentirse bien consigo mismo y con el trabajo que realiza. Probablemente usted se siente orgulloso de proporcionarles a los niños una educación y un cuidado consistente, en un ambiente cariñoso y disfruta de la atención que recibe al hacer este trabajo. Pero, ¿Cómo se siente consigo mismo en aquellas oportunidades cuando a pesar de utilizar todas sus habilidades (y muchas de las ideas en este libro), el comportamiento desafiante no ha cambiado? Esta situación puede amenazar la visión positiva que usted tiene de usted mismo si el trabajo que realiza con los niños es su primera fuente de satisfacción personal. Podría serle más difícil ser *reflexivo,* lo cual le impediría enfocarse en encontrar cuáles son las mejores alternativas para usar. Puede descubrir también que tiene fuertes sentimientos y que se resiste a cualquier otra sugerencia.

> "Cuando usted reacciona debido a sentimientos de fracaso, pierde la oportunidad de actuar desde la perspectiva de un entendimiento más profundo."

Haga una lista con algunas palabras que describan cómo se siente cuando las herramientas y las técnicas para responder a un comportamiento desafiante no funcionan. La lista puede proporcionarle algunas indicaciones de por qué muchas personas se rinden cuando se enfrentan con fracasos repetidos, con frustraciones o falta de avances. La mayoría de las personas tienden a reaccionar emocionalmente. Esta tendencia puede hacerle retroceder y distanciarse del niño en lugar de obtener mayor acercamiento.

Cuando usted reacciona debido a sentimientos de fracaso pierde la oportunidad de actuar desde la perspectiva de un entendimiento más profundo. Usted puede usar exclusivamente una sola estrategia, olvidar métodos o técnicas que ha aprendido o simplemente perder el control. Con el tiempo, puede decidir que el niño ya no puede seguir bajo sus cuidados. Aunque el cambiar de ámbito podrá ser una decisión apropiada en un momento dado, esta decisión no se debería tomar en forma apresurada. Esta decisión debería llevarse a cabo sólo después de considerar la situación en forma cuidadosa y racional y con una gran paz interior. Con paz interior, podrá apoyar al niño y a los padres en su *transición* al nuevo ámbito, sin un sentido de culpa o condenación.

Cuando usted reflexiona en sus propias emociones, puede comenzar a sintonizarse mejor en las emociones de cada niño. Usted puede cambiar su manera de pensar de siempre querer ser el maestro. En cambio, piense en usted mismo como el discípulo y en el niño como el maestro. La idea básica es sencilla: Los niños pequeños tienen autoestima y una buena *intuición* con lo que respecta a sus necesidades y sentimientos. Usted puede aprender de los niños en cuanto a cómo fomentar y mantener su autoestima. Haga esto al respetar e interpretar lo que comunican los niños a través de su lenguaje y comportamiento y apóyelos en la medida en que ellos se sintonizan con su intuición, *temperamento* y sentimientos.

LAS RELACIONES

67

SECCIÓN 5
RECURSOS

SITIOS WEB

Positive Discipline (Disciplina positiva)
http://www.positivediscipline.com
"Disciplina Positiva está dedicada a proporcionar educación y recursos que promueven y fomentan el contínuo desarrollo de las habilidades de la vida y de las relaciones respetuosas en las familias, escuelas, negocios y sistemas de la comunidad. Este sitio presenta información y artículos de Jane Nelson, la autora de *Positive Discipline (Disciplina positiva)* y otros libros.

Zero to Three (Cero a Tres)
http://www.zerotothree.org
Cero a Tres tiene muchos libros y recursos en su librería sobre prácticas reflexivas y supervisión reflexiva.

LIBROS

Fenichel, E. (Editor) (1992). *Learning Through Supervision and Mentorship to Support the Development of Infants, Toddlers and Their Families: A Sourcebook (El aprendizaje a través de la supervisión y la guía para apoyar el desarrollo de los bebés, niños pequeños y sus familias: Un libro fundamental)*. Washington, DC: Zero de Three.

Nelsen, J. (1996). *Positive Discipline (Disciplina positiva)*. New York: Ballantine Books.

Nelsen, J. (2000). *From Here to Serenity: Four Principles for Understanding Who We Really Are (De aquí a la serenidad: Cuatro principios para comprender quiénes somos realmente)*. Roseville, CA: Prima Publishing.

Tertell, E., Klein, S., & Jewett, J. (Editores). (1998). *When Teachers Reflect: Journeys Toward Effective, Inclusive Practice (Cuando los profesores reflexionan: Un recorrido hacia prácticas efectivas e inclusivas)*. Washington, DC: NAEYC.

Zavitkovsky, D, Baker, K.R., Berlfein, J.R. y Almy, M. (1986). *Listen to the Children (Escuche a los niños).* Washington, DC: NAEYC.

GLOSARIO DE CONSULTA RÁPIDA

habilidades reflexivas: pensativo, considerando cuidadosamente los pensamientos y las emociones

intuición: conocimiento interno ganado sin tener que pensar al respecto

temperamento: características o rasgos que normalmente se observan en las reacciones de una persona

transición: movimientos entre actividades, lugares, ámbitos o personas

LAS RELACIONES

CAPÍTULO 3

ESTRATEGIAS

Una vez que ha examinado su ambiente, el plan de estudios y las relaciones, está listo para examinar las estrategias que usa para guiar el comportamiento. Los educadores dedicados a los primeros años del niño más efectivos tienen muy buenas habilidades de manejo de grupos y de resolución de problemas y conexiones sólidas con la familia de cada niño. Se enfocan en la prevención de problemas a través de una planeación cuidadosa. Al usar un enfoque que va paso por paso, son capaces de identificar exitosamente problemas específicos de comportamiento cuando los problemas ocurren y desarrollar planes positivos de comportamiento para cada niño en particular.

SECCIÓN 1
TÉCNICAS PARA EL MANEJO DE GRUPOS

Una historia de la vida real

Ahora que Rashad era un maestro mentor, tenía la oportunidad de pensar por qué su salón de clase parecía funcionar tan fácilmente, incluso al comienzo del año y con niños nuevos. Sonrió al pensar en lo caótico que solía ser al inicio del año. El cambio en su salón de clase comenzó cuando incluyó su primer estudiante con autismo. El especialista que trabajaba con el niño le explicó que Dahlia necesitaría más cosas previsibles de lo que su salón de clase ofrecía y le dio varias sugerencias, las cuales Rashad implementó con alegría. Qué diferencia hicieron estas simples estrategias para todos los niños. Cuando Rashad miró a su alrededor fue capaz de ver muchas de estas ideas en acción. En un tablero grande que estaba al frente de la clase, Rashad ahora tenía un calendario ilustrado con las actividades del día, mismo que podía modificar diariamente. Cuando incluía a un niño con autismo, hacía un calendario individual ilustrado para dicho niño. Sin embargo, todos los niños miraban el calendario grande. También añadió letreros con palabras simples y con las horas para aumentar la exposición a la alfabetización. Rashad también notó que toda la clase se benefició con el entrenamiento de habilidades sociales específicas que había incorporado.

Siempre fue un primer enfoque maravilloso al comienzo del año. Planeó cuidadosamente sus actividades de grupo de modo que cinco niños o menos, estuvieran involucrados en cada actividad a la vez. También llevó a cabo una reunión de la clase al final de cada semana para planear el plan de estudios para la próxima semana, junto con los niños. Sí, ahora las cosas funcionaban de un modo más fácil y estaba agradecido por esto.

El cuidado de un grupo de niños requiere de la planeación, conocimientos de las prácticas ***apropiadas desde el punto de vista del desarrollo***, supervisión y flexibilidad. El conocer técnicas de manejo de grupos puede ayudarlo a evitar que ocurran comportamientos desafiantes. Aquí se presentan algunas de las muchas herramientas y técnicas.

ESTRATEGIAS DE PREVENCIÓN

Muchos niños presentan comportamientos desafiantes porque están aburridos, frustrados, se sienten incapaces de comunicar sus necesidades, se sienten incapaces de comprender lo que se supone que deben hacer o se sienten incapaces de interactuar aceptablemente con otros niños. La forma más efectiva de tratar de resolver estos problemas de comportamientos es en primer lugar evitar que ocurran. Tal y como Mary Louise Hemmeter indica, "Cuando nos enfocamos en la prevención somos capaces de responsabilizar a los adultos y no culpar a los niños.[1]" Aunque usted desee cambiar el comportamiento del niño, solamente puede controlar los elementos de su programa y medio ambiente, sus propias estrategias y comportamiento y su conocimiento del niño en particular por medio de la observación.

> "Cuando nos enfocamos en la prevención somos capaces de responsabilizar a los adultos y no culpar a los niños."

ESTRATEGIAS

HORARIOS Y RUTINAS

"Un horario para el salón de clase que esté bien diseñado y consistentemente implementado puede ser el factor individual más importante para promover que los niños se involucren en el ambiente del aprendizaje y de este modo contribuyan a la prevención de un comportamiento desafiante."

—Mary Louise Hemmeter
Social-Emotional Development Tapes
(Grabaciones sobre el desarrollo socio-emocional)

Los adultos y los niños pequeños ven los horarios y las rutinas de un modo diferente. Aunque sus antecedentes culturales pueden afectar el modo en que los adultos ven el uso del tiempo—el llegar tarde o el llegar temprano no es socialmente aceptable para algunas personas, por ejemplo—el mirar el reloj es la forma en que la mayoría de los adultos se mantienen dentro de un horario. Cuando se les pide a los adultos que escriban su rutina matutina, normalmente van a listar las cosas que necesitan hacer a una hora determinada:

6:00 a.m. Levantarme cuando suena el despertador

6:10 a.m. Preparar el café

6:20 a.m. Bañarme

6:35 a.m. Vestirme

6:45 a.m. Despertar al resto de la familia

7:00 a.m. Irme al trabajo

Al repetir un horario matutino de esta manera una y otra vez hace que la rutina se transforme en un hábito, hecho más automáticamente y por supuesto, aún regulado por el reloj.

Por el contrario, los niños pequeños prefieren un horario que esté determinado por una secuencia ordenada de eventos más que por la hora exacta en que los eventos ocurren. Para los niños es más importante que los bocadillos sean después de la hora de cuentos y antes de salir al patio a que los bocadillos sean exactamente a las 10 a.m. Mientras que los niños no necesitan rigidez en su horario, es importante respetar su necesidad de que las cosas sean previsibles.

Usted puede usar rutinas y rituales para desarrollar hábitos positivos alrededor de un horario con actividades previsibles. Por ejemplo, a los niños se les puede enseñar a que se laven las manos en forma rutinaria antes y después de comer. El ritual de una canción a la hora de limpiar es una forma de señalarles que deben guardar los juguetes. Cuando haya un cambio en el horario, dígaselo a los niños con anticipación. Trate de usar ilustraciones gráficas para mostrarles a los niños pequeños el nuevo horario.

ESTRATEGIAS DE TRANSICIÓN

Las *transiciones* entre las actividades pueden ser estresantes para algunos niños. Se puede presentar un comportamiento inapropiado tal como la rebeldía, agresión física o llanto. Para tratar de resolver los problemas potenciales durante las transiciones, intente estas estrategias:

* Planee las transiciones del mismo modo en que planea una actividad. Tenga en el proceso un principio, intermedio y final. Por ejemplo, cuando esté cambiando de una actividad en la que todo el grupo está funcionando junto a una actividad centrada en grupos más pequeños, despida a los niños de uno a la vez. Al caminar a la siguiente actividad, pídales que caminen como lo hace cierto animalito.

* Déles avisos o use indicaciones de que se está aproximando una transición. Cante una canción, haga sonar una campana, verbalmente recuérdele a cada grupo pequeño, disminuya la intensidad de la luz o apunte a una ilustración en el horario para que los niños sepan que es hora de terminar una actividad y pasar a la siguiente.

* Disminuya la cantidad de transiciones importantes necesarias. Muchos educadores dedicados a los primeros años del niño han reducido el número de transiciones de todo el grupo al arreglar las actividades cuidadosamente. Por ejemplo, el arte se puede llevar a cabo como una opción, cuando están trabajando en centros de grupos pequeños, en lugar de que ocurra como una actividad separada cuando se está trabajando con el grupo en su totalidad. Las transiciones de pequeños grupos dentro de un bloque grande de tiempo se pueden manejar y supervisar con mayor facilidad.

* Durante las transiciones de grupos grandes, por ejemplo después del bocadillo, tenga algo listo para que los niños hagan algo tan pronto como terminen la actividad. Un adulto podría cantar o leerle a los niños o se les puede indicar que miren y lean libros por sí mismos después de lavarse las manos. Los niños que están esperando algo que hacer pueden comportarse inapropiadamente.

* Alterne actividades deseables con otras que son más tediosas. Por ejemplo, lleve a los niños afuera después de haber acomodado los bloques.

• Asigne trabajos específicos a los niños que tienen dificultades con las transiciones. Hágalos sus ayudantes. ¡Manténgalos ocupados!

OPCIONES

El ofrecerles opciones genuinas les da a los niños cierto control, evita las peleas por el poder y los comportamientos desafiantes y estimula la responsabilidad. Los niños pequeños pueden hacer decisiones sencillas entre objetos. Muéstreles los envases y pregunte: "¿Quieres jugo o leche?" Cuando los niños están en etapas de desarrollo en donde pueden decir no a cualquier petición, responden positivamente cuando se les presenta dos alternativas aceptables tales como: "¿Quieres tomarme la mano derecha o la mano izquierda cuando crucemos la calle?" A medida que los niños crecen, pueden ayudar a escoger qué juguetes poner en las repisas, qué canciones cantar y en qué proyecto de arte trabajar. Para aprender más estrategias en cuanto a la toma de decisiones, visite el sitio Web del Center for Effective Collaboration and Practice (Centro para la Colaboración y Prácticas Efectivas) en el www.cecp.air.org/.

HABILIDADES SOCIO-EMOCIONALES

Durante los primeros años del niño, éstos aprenden cómo vivir en el mundo. Aunque los padres pueden suponer que sus hijos aprenderán de algún modo a llevarse bien con los demás, la mayoría de los niños necesitan ayuda para desarrollar destrezas emocionales y sociales. El aprender dichas habilidades emocionales y sociales por medio del ejemplo y de la instrucción formal es una parte importante en los primeros años del niño. Un estudio efectuado en el año 2000 por el National Institute for Mental Health (Instituto Nacional para la Salud Mental)[2] identificó las siguientes habilidades como aquellas que los niños necesitan:

• confianza

• amabilidad

• capacidad para desarrollar buenas relaciones entre sus compañeros

• concentración y persistencia en trabajos retadores

• capacidad para comunicar efectivamente los sentimientos tales como la frustración, el enojo y la alegría

• capacidad para escuchar instrucciones y estar atento

Los educadores dedicados a los primeros años del niño y los padres deben trabajar juntos para alentar a los niños para que éstos aprendan habilidades emocionales y sociales. En el libro de Brault y Chasen intitulado What's Best for Infants and Young Children?(¿Qué es lo mejor para los bebés y los niños pequeños?), usted ve las siguientes prácticas cuando se integran dirección y disciplina en el *plan de estudios*:

- Los adultos le demuestran a los niños habilidades tales como el autocontrol y cómo enfrentarse a los problemas. Se reconocen los sentimientos que los niños tienen y a éstos se les alienta a practicar habilidades de cómo enfrentar problemas.

- Los adultos modelan y reconocen el comportamiento que están tratando de fomentar (tal y como el uso de un lenguaje respetuoso, esperar su turno, compartir).

- Se refuerza el autocontrol en los niños. Se ponen en práctica oportunidades apropiadas para su edad, para que practique el autocontrol.

- Se usan *consecuencias naturales y lógicas* y se alienta a los niños a que sean responsables de su propio comportamiento.[3]

Dodge y Bickart dicen que las habilidades sociales "ayudarán a que los niños desarrollen la autodisciplina, a que desarrollen la capacidad de controlar su propio comportamiento y a que actúen con responsabilidad, al mostrar respeto por sí mismos y por los demás. Los niños desarrollan la autodisciplina cuando los adultos tienen expectativas reales, establecen límites claros y desarrollan relaciones positivas con cada niño."[4]

Para algunos niños, tales como aquellos que tienen *incapacidades cognitivas*, es necesario un entrenamiento exclusivo de habilidades sociales. Para que el entrenamiento sea efectivo, debe ser desarrollado para el niño en particular. Es importante tomar en consideración las habilidades que el niño ya tiene, así como sus necesidades exclusivas. Para maximizar la efectividad del entrenamiento, trabaje de cerca con la familia y con cualquier especialista que ya esté involucrado con el niño.

CONSECUENCIAS NATURALES Y LÓGICAS

Los niños pueden aprender al experimentar consecuencias naturales, las cuales normalmente son el resultado de una acción en particular. El enseñar a los niños de esta manera funciona bien sólo cuando las consecuencias no tienen peligro y son aceptables. Cuando un niño tira un envase de jugo, la

ESTRATEGIAS

consecuencia natural de esa acción es que tiene que limpiar el jugo—esta es una lección segura que aprenderá.

En una situación potencialmente peligrosa, se deberían aplicar consecuencias lógicas en lugar de dejar que las consecuencias naturales ocurran. Por ejemplo, si la niña abandona el área designada y se va para la calle, podría ser atropellada por un carro;—que es una consecuencia natural, no obstante, es inaceptable. Puede aprender a vivir dentro de los límites si usted ya no la permite jugar en el jardín frente a su casa—una consecuencia lógica.

Las consecuencias se deben aplicar cuidadosamente en el ámbito de los primeros años del niño. Por ejemplo, cuando Jaime le pega a Marco, la consecuencia natural es probablemente que Marco no quiera jugar más con Jaime. Pero la reacción de Marco no es una consecuencia aceptable para usted, puesto que usted desea promover las habilidades sociales positivas. Antes de darle a Jaime una pausa forzada, que es con frecuencia una consecuencia usada en este tipo de situaciones, examine el objetivo del comportamiento de Jaime. Si lo que Jamie quiere lograr al pegarle a Marco es que él juegue con él, tal vez una pausa forzada no cambia el comportamiento porque no atiende la necesidad subyacente. Si la causa del estallido es un problema de comunicación entre ambos chicos, usted puede proporcionar más supervisión junto con un poco de asesoría, para manejar el problema y prevenir incidentes futuros. Esto tal vez sea la consecuencia preferida y más lógica.

MANEJO BÁSICO DEL COMPORTAMIENTO

Los educadores dedicados a los primeros años del niño deben tener conocimiento básico de las técnicas del manejo del comportamiento. En su artículo, "Challenging Behaviors in Your Classroom? Don't React—Teach Instead!"(¿Hay comportamientos desafiantes en su salón de clase? ¡No reaccione—en lugar de esto, enseñe!")[5] los autores Neilson, Olive, Donavon, y McEvoy exploran comportamientos desafiantes y escriben sobre cómo desarrollar una respuesta apropiada a dicho comportamiento.

TIPOS DE COMPORTAMIENTOS Y SUS OBJETIVOS

Neilson et al describe el comportamiento por su **tipo** (lo que es) y por su **objetivo** (por qué sucede). Las acciones tales como pegar, llorar o estar callado son tipos de comportamientos. El objetivo del comportamiento, dicen los autores, es para obtener un resultado (refuerzo positivo) o evitar o escapar de algo (refuerzo negativo). El comportamiento es predecible debido a hechos que han ocurrido con anterioridad (antecedentes) y que se refuerzan y se mantienen con hechos que suceden posteriormente (consecuencias).

Un tipo de comportamiento único puede servir para más que un objetivo. Un niño puede gritar para que le den un juguete, gritar para no tener que sentarse durante la hora del bocadillo y gritar cuando no se puede quedar dormido. Por otro lado, varios tipos de comportamiento pueden servir un solo objetivo. Un niño puede no querer poner los juguetes en orden, escondiéndose, pegarle a alguien, tirar los juguetes o decir que no. Debido a que son tantas las variables, los enfoques tipo "recetarios" para el manejo del comportamiento (en donde el adulto responde a una forma de comportamiento del mismo modo cada vez que ocurre) casi nunca funcionan. En lugar de esto, usted necesita considerar tanto el tipo de comportamiento como el objetivo para diseñar intervenciones efectivas.

> "Debido a que son tantas las variables, los enfoques tipo 'recetarios' para el manejo del comportamiento... casi nunca funcionan."

DESARROLLE UN PLAN

De acuerdo con "Challenging Behaviors in the Classroom" (Comportamientos desafiantes en el salón de clase), para desarrollar un plan que responda a un comportamiento desafiante, debe determinar primero el objetivo del comportamiento. Una vez hecho eso, usted puede decidir cómo cambiar lo que suceda antes o después.

Una forma de determinar el objetivo es graficar los incidentes de comportamientos desafiantes. Por fecha y por hora enliste lo que sucedió antes del incidente (antecedentes), qué fue lo que hizo el niño (tipo de comportamiento), qué sucedió después (consecuencias) y qué es lo que usted piensa que puede ser la razón u objetivo del comportamiento (función percibida).[6] A continuación encontrará un ejemplo de una tabla completa. Al final del capítulo se incluye una reproducción de la tabla (página 101).

TABLA DE INCIDENTES

FECHA; HORA	ANTECEDENTES (¿Qué fue lo que pasó antes?)	TIPO DE COMPORTA-MIENTO (¿Qué hizo el niño?)	CONSECUENCIAS (¿Qué sucede después?)	FUNCIÓN PERCIBIDA (¿Cuál fue el po-sible objetivo del comportamiento?)
1/10; 10:30	Ya han pasado tres minutos de actividades de arte y Tyler no está participando. El maestro le pide a Tyler que haga el dibujo.	Tyler grita, "No" y tira su papel al suelo.	El maestro se va. Tyler se va de la mesa de arte y va al área de los bloques para jugar.	No tener que participar en la actividad de arte
1/10; 11:30	El maestro avisa que es hora de prepararse para la comida y toma de la mano a Tyler para llevarlo al lavabo para que se lave las manos.	Tyler se tira al suelo y comienza a llorar.	El maestro le dice, "bueno Tyler, no tienes que lavarte las manos pero necesitas usar una toallita húmeda".	¿Evitar tener que lavarse las manos o simplemente le gusta usar toallitas húmedas?
1/11; 8:30	El maestro les dice a los niños que es hora de limpiar y de ir al círculo. El maestro camina hacia Tyler.	Tyler avienta un camioncito y grita, "¡No, no quiero limpiar!"	El maestro dice, "Tyler, no tires los juguetes. Ve a tomar una pausa forzada". Tyler se sienta en una silla mientras el resto de los niños recogen las cosas. Cuando han terminado de recoger, Tyler va al círculo con el resto de los niños.	Evitar tener que recoger

Tabla tomada del libro de Neilson, Olive, Donavon, y McEvoy: "Challenging Behaviors in Your Classroom? Don't React—Teach Instead!" (¿Hay comportamientos desafiantes en su salón de clase? ¡No reaccione—En lugar de eso enseñe!")

Después de determinar el objetivo del comportamiento, considere cuáles serían sus mejores respuestas. Frecuentemente, la reacción del adulto es lo que causa que aumente o disminuya el comportamiento desafiante. La respuesta inmediata, a nivel instintivo que usted pudiera dar posiblemente es la reacción que el niño estaba buscando ya sea consciente o inconscientemente. Dicha reacción no le permitiría manejar la situación en forma efectiva. (Véase las páginas 56-57 para información sobre los botones emocionales.) Por ejemplo, si el llanto empuja los botones del maestro, es la razón por la cual le permite a Tyler usar una toallita húmeda en vez de lavarse las manos.

Hay que estar siempre consciente del objetivo subyacente del comportamiento desafiante. Si usted no responde a la necesidad del niño al reemplazar el comportamiento inapropiado con comportamiento apropiado, usted no será efectivo. Parece que Tyler usa los gritos y tirar cosas para evitar tener que hacer cierta actividad. Tome el tiempo necesario para observar y reflejar en lo que pudiera estar causando el comportamiento o manteniéndolo activo. El saber su causa le ayudará a decidir cómo prevenir que ocurra el comportamiento. Cuando era la hora de recoger las cosas, se le enseñó a Tyler decir "Ya terminé," y los maestros le daban un descanso pequeño. Luego él participaba al final de la limpieza. ¡Dicha manera de pensar por adelantado es *proactiva*!

Después de que ha identificado el tipo de comportamiento y determinado su objetivo, use los pasos para la resolución de problemas para diseñar un plan de comportamiento positivo (véase las páginas 87-93). Las *habilidades reflexivas* son componentes importantes de este proceso.

CONSISTENCIA

Idealmente, los educadores dedicados a los primeros años del niño y los padres de familia tienen expectativas consistentes del comportamiento de los niños de un día a otro y de una situación a otra. Cuando usted establezca algunas reglas claras y luego las haga cumplir, proporciona apoyo a los niños que están aprendiendo el autocontrol y la responsabilidad. Es posible que los padres de familia encuentren difícil mantener consistencia debido a la naturaleza emocional de las interacciones con sus hijos, la cantidad de tiempo y las horas del día que pasan con sus hijos, así como la influencia de otros miembros de la familia. A pesar de estas dificultades, la consistencia aún es una meta apropiada al tratar de lograr una reducción en los problemas de comportamiento.

ESTRATEGIAS

¿Y qué tal la consistencia entre el proveedor y la familia? ¿Qué tan frecuentemente decide el proveedor en un plan de acción para tratar de resolver el comportamiento desafiante y luego informarle a la familia acerca del plan? Como se mencionó en el Capítulo 2, no todas las familias tienen las mismas expectativas para el comportamiento del niño. Aun cuando están de acuerdo en las expectativas, tal vez no estén de acuerdo en el método propuesto de tratar de resolver el comportamiento. El obtener consistencia en estos casos vale el tiempo adicional que puede requerir. Estas áreas son importantes para ser examinadas y se discutirán más a fondo en la siguiente sección, "Habilidades para la resolución de problemas."

LAS PAUSAS FORZADAS POSITIVAS

Las pausas forzadas probablemente son una de las estrategias de manejo de comportamiento más comunes (y demasiado usadas) que conocen los educadores dedicados a los primeros años del niño. Como se puede ver en el ejemplo anterior con Tyler, el tiempo no dedicado a una actividad tal vez sea exactamente lo que está buscando el niño. Además, como diría Jane Nelsen, "¿De dónde sacamos esa loca idea que dice que para que un niño sea mejor primero tiene que sentirse peor?" Hay maneras de proporcionar y modelar la pausa forzada positiva. Los adultos frecuentemente se hacen a un lado en una situación tensa con el objeto de reagruparse, reflexionar y calmarse. Los niños también se benefician de estas mismas oportunidades.

> "Las pausas forzadas probablemente son una de las estrategias de manejo de comportamiento más comunes (y demasiado usadas) que conocen los educadores dedicados a los primeros años del niño."

Para los niños pequeños, la idea de ser enviado a un lugar especial puede ser algo muy consolador. Los niños pueden usar un desván, un espacio pequeño o cualquier área que ellos mismos definen. Un programa cuenta con un lugar especial con almohadas y cobijas suaves en una caja grande. Cuando los niños se sienten abrumados o estresados, se van al "nido de pájaros", como ellos mismos le llaman. Otro ejemplo del uso de las pausas forzadas positivas se encuentra cuando una familia—tanto adultos como niños—declara un "ajuste de la actitud" cuando necesitan tomar un descanso. Se retiran a sus respectivas habitaciones donde se sacuden el mal humor y regresan con la familia cuando están de mejor humor.

En el libro de Judith Viorst, *Alexander and the Terrible, Horrible, No-good, Very Bad Day* (Alejandro y el día terrible, horrible, pésimo, malísimo), el personaje principal, Alejandro, piensa que si pudiera ir a Australia, no tendría un día tan malo. Después de leer el cuento a su clase, una maestra de primero de primaria inventó Australia en su salón de clase. Ella puso una silla rellena de bolitas de poliestireno, una bandera de Australia, algunos animales de peluche (canguro, koala, ornitorrinco), así como un letrero grande que dice "¡Bienvenido a Australia!" Cuando los niños tenían la necesidad de visitar Australia, lo podían hacer. La maestra les explicó que solamente un niño podía ir a la vez porque Australia es una isla continente. Al principio, todos los niños querían visitar. Sin embargo, muy pronto solamente aquellos niños que necesitaban tiempo para reagruparse, reflexionar y un descanso de sus pupitres aprovecharon la ventaja de querer estar en este lugar especial.

Hay muchas maneras de usar las pausas forzadas positivas. Observe bien sus propias prácticas para ver si puede cambiar de las pausas forzadas como un castigo negativo, demasiado usado e introducir técnicas más efectivas.

SECCIÓN 1
RECURSOS

 SITIOS WEB

Tip Sheets: Positive Ways of Intervening with Challenging Behavior
(Hojas de Consejos: Maneras positivas de intervenir en los comportamientos
desafiantes)
http://ici2.umn.edu/preschoolbehavior/tip_sheets/default.html
"Las hojas de consejos fueron desarrolladas para ayudarles a los maestros
y padres de familia en proporcionar las mejores oportunidades educativas
posibles a los estudiantes que muestran trastornos emocionales y del
comportamiento."

The Center for Effective Collaboration and Practice (El Centro para la
Colaboración y las Prácticas Efectivas)
http://cecp.air.org
"Son los principios básicos del Centro para la Colaboración y las Prácticas
Efectivas (CECP) Para apoyar y promover una preparación nacional
reorientada a fomentar el desarrollo y el ajuste de los niños en peligro de
desarrollar serios problemas emocionales.
http://cecp.air.org/familybriefs/default.htm
Los padres de familia rara vez tienen acceso a información basada en
las investigaciones. Estos informes reflejan el compromiso de CECP de
proporcionarles a las familias información útil acerca de las prácticas con
base en las pruebas. Incluye informes sobre la toma de decisiones y otras
estrategias preventivas. (Haga clic en "Briefs for Families on Evidence-
Based Practices" (Informes para familias sobre prácticas con base en
las pruebas), luego seleccione el documento intitulado "Choice-Making
Strategies: Information for Families" (Estrategias para la toma de decisiones:
Información para las familias).

The Center on the Social and Emotional Foundations for Early Learning
(El Centro sobre los Fundamentos Sociales y Emocionales de Aprendizaje
durante los Primeros Años del Niño)
http://csefel.uiuc.edu
"El Centro sobre los Fundamentos Sociales y Emocionales de Aprendizaje
durante los Primeros Años del Niño es un centro nacional enfocado en
fortalecer la capacidad de Cuidados Infantiles y 'Head Start' con el fin de
mejorar los resultados sociales y emocionales de los niños pequeños. El
Centro desarrollará y dará a conocer información fácil de usar con base en

las pruebas para ayudar a los educadores dedicados a los primeros años del niño a cumplir con las necesidades de un número creciente de niños con comportamientos desafiantes y con necesidades de salud mental en los programas de cuidados infantiles y 'Head Start.'"

 LIBROS

Brault, L. y Chasen. F. (2001). *What's Best for Infants and Young Children? San Diego County's Summarized Guide of Best Practice for Children with Disabilities and Other Special Needs in Early Childhood Settings.* *(¿Qué es lo mejor para los bebés y los niños pequeños? Una guía resumida del Condado de San Diego de las mejores prácticas para niños con incapacidades y otras necesidades especiales en los ámbitos de los primeros años del niño).* San Diego, CA: Comisión para Servicios Colaborativos para Bebés y Niños Pequeños (CoCoSer). Disponible en www.IDAofCal.org

Dodge, D.T. y Bickart, T.S (2000). *Three Key Social Skills (Tres habilidades sociales claves).* Obtenido del Internet en el sitio Web en http://www. scholastic.com/earlylearner/age3/social/pre_keyskills.htm

Greenberg, P. (1991). *Character Development: Encouraging Self Esteem & Self Discipline in Infants, Toddlers, & Two Year-olds (Desarrollo del carácter: Fomentando la autoestima y autodisciplina en bebés, niños pequeños, y niños de dos años).* Washington, DC: NAEYC.

Honig, A.S. (2000). Love and Learn: Positive Guidance for Young Children (Amar y aprender: Asesoría positiva para niños pequeños) (folleto). Washington, DC: NAEYC.

Kaiser, B. y Raminsky, J. (1999). Meeting the Challenge: Effective Strategies for Challenging Behaviors in Early Childhood Environments (Enfrentando el reto: Estrategias efectivas para los comportamientos desafiantes en ambientes durante los primeros años del niño). Toronto, Canadá: Canadian Child Care Federation.

Katz, L.G. y McClellan, D.E. (1997). *Fostering Children's Social Competence (Fomentando las habilidades sociales de los niños).* Washington, DC: NAEYC.

Kemple, K.M. *Understanding and Facilitating Preschool Children's Peer Acceptance (Comprendiendo y facilitando la aceptación de los compañeros*

ESTRATEGIAS

entre los niños de edad preescolar). Obtenido del Internet en el sitio Web de http://www.nldontheweb.org/Kemple-1.htm

Klein, M.D., Cook, R.E., y Richardson-Gibbs, A.M. (2001). Preventing and Managing Challenging Behaviors (Previniendo y manejando los comportamientos desafiantes). En *Strategies for Including Children with Special Needs in Early Childhood Settings (Estrategias para incluir a los niños con necesidades especiales en ámbitos infantiles durante los primeros años del niño)*. Albany, NY: Delmar.

Larson, N., Henthorne, M., y Plum, B. (1997). *Transition Magician (Mago en transiciones)*. St. Paul, MN: Redleaf Press.

Marion, M. (1995). *Guidance of Young Children (Asesoría para los niños pequeños)*. Upper Saddle River, NJ: Prentice Hall.

Mize, J. y Abell, E. (1996). "Encouraging Social Skills in Young Children: Tips Teachers Can Share with Parents," (Fomentando las habilidades sociales en los niños pequeños: Consejos que los maestros pueden compartir con los padres de familia). Dimensions of Early Childhood *(Dimensiones de los primeros años del niño)* (Carta Informativa de la Southern Early Childhood Association (Asociación del Sur Dedicada a los Primeros Años del Niño)), Volumen 24, Número 3, Verano. Obtenido del Internet en el sitio Web de http://www.humsci.auburn.edu/parent/socialskills.html

NAEYC. (1998). *Helping Children Learn Self-Control (Ayudando a los niños aprender el autocontrol)* (folleto). Washington, DC: NAEYC.

Nelson, J. (1996). *Positive Discipline (Disciplina positiva)*. New York, NY: Ballantine Books.

Nelson, J. (1999). *Positive Time Out (Pausa forzada positiva)*. Rocklin, CA: Prima Publishing.

Poulsen, M.K. (1996). Caregiving Strategies for Building Resilience in Children at Risk (Estrategias del proveedor de cuidados para desarrollar la resistencia en los niños con problemas). En el libro de Kuschner, A., Cranor, L. y Brekken, L. *Project Exceptional: A Guide for Training and Recruiting Child Care Providers to Serve Young Children with Disabilities (Proyecto Excepcional: Una guía para la capacitación y reclutamiento de proveedores de cuidados infantiles para el servicio de niños pequeños con incapacidades), Volumen 1*. Sacramento, CA: Departamento de Educación de California.

Reynolds, E. (1995). *Guiding Young Children: A Child Centered Approach (Asesorando a los niños pequeños: Un enfoque centrado en el niño).* Mountain View, CA: Mayfield.

Sandall, S. y Ostrosky, M. (Eds.). (1999). *Practical Ideas for Addressing Challenging Behaviors (Ideas prácticas para responder a comportamientos desafiantes). Serie de Monografías sobre Niños Pequeños Excepcionales.* División de los Primeros Años del Niño. Longmont, CO: Sopris West.

Slaby, R.G., Roedell, W.C., Arezzo, D., y Hendrix, K. (1995). *Early Violence Prevention: Tools for Teachers of Young Children (La prevención temprana de la violencia: Herramientas para los maestros de niños pequeños).* Washington, DC: NAEYC.

Walker, J.E. y Shea, T.M. (1999). *Behavior Management: A Practical Approach for Educators (Manejo del comportamiento: Un enfoque práctico para educadores).* Upper Saddle River, NJ: Prentice Hall.

 VIDEOS

NAEYC. (1994). *Painting a Positive Picture: Proactive Behavior Management (Pintando un cuadro positivo: Manejo proactivo del comportamiento).* Washington, DC: NAEYC.

NAEYC. (1988). *Discipline: Appropriate Guidance of Young Children (La disciplina: Asesoría apropiada para los niños pequeños).* Washington, DC: NAEYC.

ESTRATEGIAS

GLOSARIO DE CONSULTA RÁPIDA

apropiado desde el punto de vista del desarrollo: tomando en cuenta lo que es adecuado para la edad del niño, para sus características individuales y sus influencias culturales y sociales.

consecuencia natural y lógica: lo que sucede naturalmente después de un comportamiento (natural) o lo que es razonable y relacionada con el comportamiento (lógica)

habilidades reflexivas: pensativo, considerando cuidadosamente los pensamientos y las emociones

incapacidades cognitivas: cualquier incapacidad afectando el desarrollo de las habilidades del pensamiento tales como incapacidades de aprendizaje, retrasos en el desarrollo o retrasos mentales

plan de estudios: una descripción organizada de lo que usted está haciendo para promover el desarrollo de los niños en todas las áreas

proactivo: la toma acción antes de que el problema ocurra

transición: movimientos entre actividades, lugares, ámbitos o personas

SECCIÓN 2
HABILIDADES PARA LA RESOLUCIÓN DE PROBLEMAS

Una historia de la vida real

Micah, de cuatro años de edad, estaba inscrito en un programa de cuidados infantiles en el hogar de muchos niños. Siempre tenía problemas de disciplina. Dondequiera que iba Micah en la casa, alguien siempre salía llorando. June, su proveedor de cuidados infantiles y John su marido y asistente, lo habían estado observando desde hace tiempo. June sabía que Micah quería jugar con los demás niños. ¡Pero parecía que él perdía el control demasiado rápido! Aunque June trataba de intervenir, ella sentía que sus intentos habían sido desordenados e inconsistentes. June decidió usar una técnica de resolución de problemas para identificar el problema específico de comportamiento y desarrollar un plan de comportamiento positivo para Micah.

Usted puede ver cuando un niño esté luchando para mantener bajo control el comportamiento desafiante, pero quizá no pueda identificar el problema que causa el comportamiento. El uso de una actividad estructurada de resolución de problemas puede ayudarle a usted a reflexionar sobre la situación desafiante, aclarar el problema y desarrollar un plan de comportamiento positivo para el niño.

LA RESOLUCIÓN DE PROBLEMAS COMO HERRAMIENTA PARA LA REFLEXIÓN

Aunque pueden ser usadas muchas técnicas de resolución de problemas para desarrollar un plan de comportamiento positivo, pocas de estas técnicas incorporan el pensamiento reflexivo.[7] Al seguir el proceso mencionado abajo[8] aclarará su manera de pensar y le ayudará a responder en forma reflexiva al comportamiento desafiante.

PASOS ESENCIALES PARA LA REFLEXIÓN

A. Reconozca y aclare sus sentimientos.

Para iniciar el proceso de resolución de problemas, reconozca primero lo que está sintiendo. Solo así puede controlar sus propias emociones y comenzar a comprenderlas. ¿Qué le están diciendo sus emociones y reacciones? ¿Cómo puede llegar a ser autoconsciente? Tal vez encuentre que tiene que liberar su energía emocional si interfieren sus sentimientos y reacciones con el resto del proceso. *En la Historia de la Vida Real al inicio de la sección, June está enojada con Micah porque ella siente que él intimida a otros niños en su ámbiente.* (Véase también el ejemplo del plan de resolución de problemas en las páginas 91-93)

B. Reconozca los sentimientos de los demás (del niño y de otros niños, padres de familia, miembros del personal).

Intente entender las emociones y reacciones de los demás. ¿Qué está tratando de comunicar el niño a través de su comportamiento? (véase páginas 105-108) Al comenzar el proceso de resolución de problemas, tenga presente los factores culturales y e idiomáticos de los niños y adultos con los cuales puede estar trabajando (véase las páginas 59-62). *June se da cuenta que parece que Micah quiere jugar pero no sabe comó.* También querrá considerar el estrés como un factor en los adultos y estar consciente de no juzgar o clasificar las palabras y las acciones de la gente. *June también se da cuenta que no conoce muy bien a la familia de Micah.*

C. Aclare los asuntos críticos.

Pregúntese: ¿Cuáles son las lecciones importantes a largo plazo que necesito compartir con los niños para hacer una diferencia en sus vidas? ¿Estoy proporcionando oportunidades para que los niños tengan responsabilidades y contribuyan en forma respetuosa al grupo? El poder aclarar los asuntos críticos requiere de trabajo arduo y de introspección personal, así como de pláticas más a fondo con la familia y/o el personal. A veces es útil pensar en cómo será el niño dentro de veinte años. ¿Qué habilidades para la vida necesitará tener como adulto? ¿Cuáles son las principales lecciones de la vida que usted debe enseñar? Tal vez descubra que está enfocándose en asuntos que parecen ser importantes hoy pero tal vez no ayudarán al adulto del futuro. ¿Es realmente importante que el niño pueda quedarse quieto en la hora del círculo? *June piensa en sus lecciones principales. Es importante para ella que los niños puedan jugar juntos sin supervisión directa. Para ellos, es una lección que durará toda la vida.*

D. Identifique las cualidades.

Al pensar en el niño, en otros adultos o en su papel como educador dedicado a los primeros años del niño, tenga en mente las cualidades de cada persona, las relaciones y las necesidades de cada una de ellas. Piense en los obstáculos y baches como experiencias de aprendizaje para todos. Este tipo de aprendizaje puede ser más valioso que cualquier lección formal o planeada. Con su estímulo, el niño mandón puede llegar a ser el líder que consiga que los otros niños jueguen en forma más creativa. Sea tolerante con lo desordenado y lo inesperado ya que pueden representar las mayores recompensas. *Micah tiene varias cualidades que le ayudan a June a verlo de manera diferente.*

PASOS PARA LA RESOLUCIÓN DE PROBLEMAS

1. Defina el problema.
Mantenga el problema sencillo y claro. Defina su punto de vista/percepción del problema. El culpar al niño, padre/madre o a sí mismo distrae de la importante tarea de identificar el verdadero problema. Si usted está culpando a alguien, regrese al Paso Esencial A y ponga en blanco sus emociones. Una **persona** no es el problema, **el problema** es el problema. *Si June sigue enojada con Micah por intimidar a los otros niños, ella puede ver cual botón está siendo oprimido, reconocer sus sentimientos y ver si puede poner en otro contexto este sentimiento.* (Véase las páginas 56-57 para mayor información sobre oprimiendo botones.) *June define el problema como el deseo de que Micah participe más en los juegos en grupo, en forma constructiva e independiente.*

2. Reúna información.
Una vez claramente definido el problema, obtenga datos mediante la observación y registro de lo sucedido. Use las ideas básicas de manejo de comportamiento de la Sección 1 (páginas 76-81) para examinar lo que sucedió antes, durante y después de los incidentes. Comience a pensar en el objetivo del comportamiento. Averigüe qué tan frecuentemente sucede, cuándo sucede, en dónde, por qué y con quién. Asegúrese de averiguar de quien es el problema. Si el problema como usted lo define no es propiedad suya, regrese a redefinirlo hasta que usted lo reconozca como suyo. *Las interacciones de Micah con los demás niños son difíciles. El problema que June puede reconocer como suyo es su deseo que Micah participe en forma independiente en los juegos en grup*o.

3. Participe junto con otros adultos.
Verifique los datos que usted ha reunido. Participe con otros adultos involucrados (padres de familia o personal) al tratar de responder a los siguientes pasos. La participación con otros es más fácil cuando usted ya ha establecido relaciones cordiales y de respeto. Recuerde, el comportamiento del niño tal vez sea sensible para las personas involucradas y podrá iniciar emociones y reacciones fuertes. Si usted se da cuenta de esto podrá actuar en vez de reaccionar y en términos generales, mejorar su manejo de la situación. *Una plática con el padre de Micah revela que tiene metas similares para Micah.*

ESTRATEGIAS

4. Lleve a cabo una lluvia de ideas para encontrar soluciones.

Genere y anote tantas ideas como sea posible para resolver el problema. Al llevar a cabo una lluvia de ideas con un grupo, dígales a las personas que no comenten las ideas hasta que la lista esté completa. Por lo general, la crítica o los elogios de cualquier sugerencia en particular detendrá el flujo de ideas. Una sesión en grupo de lluvia de ideas también puede resultar en una plática de sus ideas acerca del objetivo del comportamiento. *Unas cuantas soluciones generadas por June y otros adultos se encuentran en el ejemplo del plan de resolución de problemas en la página 92.*

5. Seleccione una solución y haga un plan.

De las ideas generadas, seleccione una solución que usted piensa sea la más efectiva. Planee la mejor forma de poner en práctica dicha solución. Use esta oportunidad para discutir la consistencia dentro de los ámbitos y entre el personal y miembros de la familia. Es más fácil ser consistente con un solo plan, claramente definido. Determine cuándo evaluará los resultados de sus esfuerzos. *June y el padre de Micah convienen en comenzar con el ámbito de cuidados infantiles.*

6. Ponga en práctica la solución.

No varíe de su plan de implementación, teniendo en cuenta que muchos comportamientos empeoran antes de que mejoren. Si necesita una referencia a otras fuentes de ayuda, considere esto como parte de la solución.

7. Evalúe la solución.

Recuerde, su meta es obtener una mejoría, ¡no la perfección! Si funciona la solución, usted lo sabrá—además su energía ya no estará enfocada en dicha situación. Si su solución no funcionó, revísela para ver si definió correctamente el problema. Si el problema fue definido correctamente, seleccione otra posible solución. **No tenga miedo de fracasar—es una manera comprobada de aprender.** Con las soluciones hay nuevas preguntas y nuevo conocimiento.

EJEMPLO DE UN PLAN DE RESOLUCIÓN DE PROBLEMAS

La siguiente tabla de abajo muestra como June y John (véase Una Historia de la Vida Real) desarrolló un plan de comportamiento positivo para Micah al seguir los cuatro pasos esenciales para la reflexión y los siete pasos de resolución de problemas mencionados en las páginas 87-90. Para ayudarlo a usar los pasos para un niño en su ámbito, hemos incluido al final del capítulo (página 103), un plan de resolución de problemas en blanco que usted puede copiar y usar.

PLAN DE RESOLUCIÓN DE PROBLEMAS DE JUNE
Pasos preliminares

1. Reconozca y aclare sus sentimientos.	June estaba enojada con Micah. Ella lo veía como un peleonero que intimidaba a los demás niños. Ella pensaba que usaba su tamaño para imponer sus ideas.
2. Reconozca los sentimientos de los demás.	Micah se veía enojado y frustrado la mayor parte del tiempo. June pensaba que quería jugar pero no tenía muchas oportunidades para hacerlo. Su padre frecuentemente tenía prisa cuando dejaba a Micah y June se dió cuenta que realmente no conocía muy bien a la familia.
3. Aclare los temas críticos.	Debido al gran número de niños de varias edades en la guardería hogareña, era importante para June que los niños pudieran jugar juntos en grupos pequeños. Cuando June o John (el esposo y ayudante de June) necesitaba cuidar a los bebés o preparar la comida, no podía darle a Micah toda su atención. Además, Micah asistiría al kinder el año próximo y necesitaría aprender a cómo llevarse bien con grupos de niños.
4. Identifique los puntos fuertes.	June se dio cuenta de que su enojo y frustración reflejaban los sentimientos de Micah de ser nuevo en su guardería hogareña. Micah realmente era un niño mucho muy listo, interesado en platicar con John acerca de los camiones y cómo funcionaban. También tenía un verdadero talento para armar Legos y rompecabezas. Los otros niños habían estado juntos por algún tiempo y habían establecido algunas muy buenas relaciones. Tal vez el ver a Micah como peleonero era la respuesta protectora de June para los demás niños que tenía más tiempo en el programa. ¿Cómo podía ella integrar exitosamente a Micah a los grupos pequeños?

PASOS PARA LA RESOLUCIÓN DE PROBLEMAS

1. Defina el problema.	June pensó en el problema detalladamente y llegó a una definición del problema: June quería que Micah participara en los juegos de grupo, en forma constructiva e independiente.
2. Reúna información.	June observó que Micah tenía más problemas cuando John no estaba disponible. Micah entraba al grupo, observaba durante un rato corto, luego arrebataba un juguete o comenzaba a decirles a los demás niños qué hacer con el juguete o actividad. Cuando los niños no le hacían caso a Micah, él gritaba o les pegaba y John tenía que correr a intervenir. June observó que Micah jugaba bien con un niño a la vez. Sin embargo, tan pronto como había más de dos niños, comenzaban los pleitos.
3. Asóciese con otros adultos.	En pláticas con Ron, el padre de Micah, June aprendió que él también estaba preocupado de que Micah tenía problemas jugando en grupos. Micah era hijo único y no le era fácil jugar con otros niños en su complejo de apartamentos. Esto era la primera experiencia para Micah en un ámbito de grupos. Anteriormente, su abuela lo cuidaba.
4. Lleve a cabo una lluvia de ideas para encontrar soluciones.	Parecía que Micah dependía de John para controlar los impulsos de Micah cuando las cosas no salían como él quería. El comportamiento de Micah estaba enfocado a incorporar a John nuevamente en el ambiente. En sesiones de lluvia de ideas, se generaron muchas ideas para apoyar la posibilidad de que Micah participara en los grupos que se formaban, incluyendo: enseñarle a Micah como usar palabras para pedir lo que quería; hablar con los demás niños sobre cómo jugar con Micah; que John le prestara atención a Micah solamente después de terminar de jugar; encontrar algunas maneras para que los niños participaran con Micah; que John se quedara más cerca a Micah para que no estuviera solo cuando participaba en los juegos.

PASOS PARA LA RESOLUCIÓN DE PROBLEMAS

5. Seleccione una solución y haga un plan.	Puesto que Micah tenía una buena relación con John, la solución que seleccionaron June, John y Ron fue que John se quedara cerca de Micah. John podía animar a Micah y darle atención cuando se incorporaba a los grupos en forma apropiada. John también invitaría a otros niños a los juegos favoritos de Micah, tales como Legos y cochecitos.
6. Ponga en práctica la solución.	June decidió intentar este plan durante un mes. Ella ponía a John con el grupo más grande mientras les daba de comer a los niños más pequeños o hacía otras cosas. June también hizo un esfuerzo por enfocarse en las cualidades de Micah y trabajar en desarrollar una relación con él. Ron decidió ver los resultados después del período de un mes antes de responder a las habilidades de juego de Micah en casa.
7. Evalúe la solución.	Un mes más tarde, las cosas estaban más calmadas en la guardería hogareña de June y John. Micah respondió a la atención prestada por John y estaba más relajado y pasó más tiempo viendo a los demás niños. La estrategia de John de incluir a otros niños mientras jugaba con Micah animó a Micah a que interactuara en formas más apropiadas. Al término del mes, John empezó a retirarse físicamente cuando jugaba Micah, aunque todavía estaba disponible. Ron decidió intentar la misma estrategia con los niños del vecindario. June se sentía mucho menos enojada y encontró que se divertía con Micah.

ESTRATEGIAS

SECCIÓN 2
RECURSOS

LIBROS

Boulware, G.L., Schwartz, I. y McBride, B. (1999). "Addressing Challenging Behaviors at Home: Working with Families to Find Solutions" (Respondiendo a los comportamientos desafiantes en casa: Trabajando con familias para encontrar soluciones). En el libro de S. Sandall y M. Ostrosky (Editores), *Practical Ideas for Addressing Challenging Behaviors (Ideas prácticas para responder a comportamientos desafiantes). Serie de Monografías sobre Niños Pequeños Excepcionales.* División de los Primeros Años del Niño. Longmont, CO: Sopris West.

Cook, R.E., Tessier, A. y Klein, M.D. (2000). *Adapting Early Childhood Curricula for Children in Inclusive Settings (5th Ed.) (Adaptando los planes de estudios durante los primeros años del niño en ámbitos inclusivos) (quinto edición).* Upper Saddle River, NJ: Prentice Hall, Inc.

Fisher, R., Ury, W.L. y Ury W. (1991). *Getting to Yes: Negotiating Agreement Without Giving In (Llegando a un Sí: Negociando consentimiento sin ceder)* (segundo edición). New York, NY: Penguin Books.

SECCIÓN 3
CONECTANDO CON LAS FAMILIAS

Una historia de la vida real

Pam se sentía incómoda cuando tenía que hablar con la abuela de Carmen. Aunque tenía un título profesional en desarrollo infantil del colegio comunitario local, Pam se sentía como niña pequeña con la Sra. Ruíz. ¿Cómo iba a platicar con ella acerca del desarrollo del lenguaje de Carmen? Pam estaba preocupada por las muy pocas palabras que Carmen usaba—lo cual estaba comenzando a interferir con la capacidad de Carmen para jugar con los demás niños. Esperando que la directora, Kris, interviniera para hablar con la Sra. Ruíz, Pam la invitó a la conferencia. En vez de esto, Kris le ayudó a Pam a pensar por anticipado lo que iba a decir en la conferencia. Pam esperaba que su preparación le ayudara para tener una conferencia sin contratiempos.

Tal vez usted haya escuchado a otro educador dedicado a los primeros años del niño decir con una sonrisa: "Me encanta trabajar con los niños. ¡Son los padres de familia los que no me gustan!" Por supuesto, usted sabe que las conexiones que usted forma con los padres de familia y las familias hacen una diferencia importante en responder a las necesidades sociales y emocionales de los niños pequeños. Al comenzar a responder a los comportamientos específicos de los niños pequeños, tenga confianza en sus observaciones (véase las páginas 112-116). Recuerde también que la comunicación respetuosa es muy importante. Las familias frecuentemente ven a sus hijos de diferente manera que como usted los ve. Puede encontrar información relacionada con las relaciones y resolución de problemas en otras secciones de esta guía (véase las páginas 40-43 y 87-91).

COMPARTIENDO PREOCUPACIONES

Frecuentemente es difícil comunicarse con los padres de familia cuando usted tiene inquietudes acerca de su hijo. Usted tendrá más éxito si ya ha desarrollado una relación y establecido cierta confianza con la familia. Planee por anticipado lo que va a decirles a los padres, luego hable con confianza con ellos acerca de sus observaciones respecto a su hijo. (Para más información acerca de la observación, véase el Capítulo 4, páginas 112-116.) Probablemente cualquier técnica que use en las reniones de padres será efectiva en esta situación. Intente usar las siguientes estrategias:

- Reúnase con la familia en un lugar privado. Dése el tiempo suficiente. Deben asistir tanto los padres del niño, si están disponibles, así como otros miembros importantes de la familia.

- Al principio, infórmele a la familia que usted está compartiendo sus inquietudes para poder apoyar mejor el desarrollo de su hijo y para obtener algunas ideas de cómo responder mejor a las necesidades de su hijo. Un temor que tal vez ellos podrían tener es que usted quiera sacar al niño de su programa de cuidados infantiles o que usted está enojado con su hijo.

- Empiece la plática preguntándole a la familia cómo ven al niño.

- Si la familia tiene opiniones diferentes a las de usted, sea receptivo a la perspectiva de la familia.

- Comparta con ellos las cualidades positivas que usted ha observado del niño.

- Mencione su inquietud en términos muy claros, usando ejemplos concretos de sus observaciones.

- Haga preguntas, reúna información e invite a la familia a que participen con usted en responder a las necesidades del niño.

RESPETANDO LA RESPUESTA

Una comunicación respetuosa con la familia puede dar motivo a un intercambio de ideas que a fin de cuentas ayudará al niño. Cuando un padre/madre dice, "Él no hace eso en casa," ¡no dude en creer lo que dice el padre/madre! Muchas veces hay diferentes circunstancias o expectativas en casa, lo que significa que allí el niño no demuestra dicho comportamiento. Pero a veces, los padres de familia están preocupados de que si reconocen que el niño tiene un problema de comportamiento, usted sacará al niño de sus cuidados infantiles. Si los padres de familia han tenido esta consecuencia antes, tal vez sea difícil para ellos confiar en usted y tal vez piensen que usted no quiere trabajar con ellos para encontrar una solución.

La familia del niño tal vez no quiera información de los recursos y los siguientes pasos o tal vez no estén listos para tomar acción cuando usted comparta con ellos sus inquietudes por primera vez. Sus respuestas emocionales tendrán un impacto sobre lo que ellos podrán escuchar y entender. Podría tomar tiempo para que ellos procesen e integren la información que usted les da.

Evite el deseo de clasificar a la familia de "no querer reconocer" el problema si los padres toman tiempo para reaccionar. A menos de que haya evidencia de que están descuidando a su hijo o que el niño tiene alguna otra necesidad médica urgente, deje que los padres de familia procedan a su propio paso. Si es necesario, ayúdelos a entender lo que usted les dijo al repetir la información, asegurándoles que habrá recursos disponibles cuando los padres los deseen. La familia tal vez querrá platicar con otra persona y usted también podrá querer hacerlo, si sus emociones comienzan a interferir con su capacidad de respetar a la familia como la entidad que toma las decisiones.

OFRECIENDO APOYO

Una vez que se les ha dado la información acerca de su hijo, la familia tal vez querrá tomar acción inmediatamente. Esté listo para desarrollar un plan usando las técnicas de resolución de problemas en la Sección 2, páginas 87-90. Esté preparado para hablar de los recursos para obtener mayor evaluación y/o más servicios correspondientes. Tenga a la mano información de servicios dentro de su organización y otros servicios locales. Si el problema está relacionado principalmente con el comportamiento, usted querrá estar familiarizado con las agencias y los servicios disponibles para ayudar. Si el problema incluye temas de desarrollo, querrá considerar la intervención temprana o un sistema educativo especial. Asimismo, generalmente es apropiado enviar a la familia al pediatra del niño.

Al compartir sus observaciones concretas, está ayudando a la familia a aclarar sus preguntas acerca de su hijo y lo que los siguientes pasos lograrán. Si usted recomienda que la familia busque ayuda de otra agencia, debe describir lo que podría pasar después de que se pongan en contacto con la agencia y cuáles podrían ser los posibles resultados. Sea claro al decir que usted tal vez no esté en una posición de garantizar la disponibilidad o el derecho de la familia de usar los servicios de otra agencia. También, avísele a la familia que usted estará dispuesto a trabajar con la otra agencia y puede compartir información con dicha agencia si la familia está de acuerdo.

TOMANDO TIEMPO PARA REFLEXIONAR

Es trabajo importante y emocional el trabajo con los niños y sus familias. Para hacer un buen trabajo, usted necesita tiempo para reflexionar y contar con adultos con los conocimientos y el apoyo para hablar con ellos acerca de los sentimientos, de niños específicos y de prácticas de cuidados infantiles.

ESTRATEGIAS

En el diccionario de Webster, la palabra *reflexionar* significa pensar tranquila o calmadamente o expresar un pensamiento u opinión que sea el resultado de la meditación o la reflexión. A través de la reflexión y con el apoyo de sus colegas, usted se da cuenta de los límites (véase la página 65) y podrá clasificar y eliminar mejor lo que se <u>puede</u> hacer de lo que se <u>debe</u> hacer. El significado del comportamiento del niño puede ser más claro a través de este proceso de reflexión. También las interacciones con una colega que proporciona su apoyo tienen una influencia sobre la manera en que usted interactúa con los niños, familias y otros miembros del personal.

Puede ser difícil encontrar el tiempo, la energía y los recursos necesarios para usar y apoyar este proceso reflexivo. Es más fácil cuando los educadores dedicados a los primeros años del niño se apoyan entre sí. Muchos administradores encuentran que al dedicar tiempo a la reflexión durante las reuniones del personal y al fomentar el apoyo entre compañeros, los educadores dedicados a los primeros años del niño, aumentan su capacidad de reflexión y la usan como herramienta. Algunas personas anotan sus pensamientos en un diario y lo usan para su reflexión individual. Si usted toma el tiempo para detenerse y pensar será recompensado con un aumento en su habilidad para responder a los niños y a las familias a quienes sirve.

SECCIÓN 3
RECURSOS

 SITIO WEB

Zero to Three (Cero a Tres)
http://www.zerotothree.org
Cero a Tres tiene muchos libros y recursos en su librería sobre prácticas reflexivas y supervisión reflexiva.

 LIBROS

Abbott, C.F. y Gold, S. (1991). "Conferring with Parents When You're Concerned That Their Child Needs Special Services" (Consultando con los padres cuando tiene una inquietud en cuanto a que su hijo necesita servicios especiales). *Young Children*. 46 (4): 10-14.

Brault, L.M.J. y González-Mena, J. (2003). "Talking with Parents When Concerns Arise" (Conversando con los padres cuando surgen inquietudes). En la publicación de González-Mena, J., *The Caregivers Companion Readings and Professional Resources (Lecturas y recursos profesionales para los proveedores de cuidados infantiles)*. New York, NY: McGraw-Hill Companies, Inc.

Cook, R.E., Tessier, A., y Klein, M.D. (2000). *Adapting Early Childhood Curricula for Children in Inclusive Settings* (5th Ed.) *(Adaptando los planes de estudios durante los primeros años del niño en ámbitos inclusivos)* (5ta edición). New Jersey: Merrill/Prentice Hall, Inc.

Fenichel, E. (Ed.) (1992). *Learning Through Supervision and Mentorship to Support the Development of Infants, Toddlers and Their Families: A Sourcebook. (El aprendizaje a través de la supervisión y la guía para apoyar el desarrollo de los bebés, niños pequeños y sus familias: Un libro de consulta.* Washington, D.C.: Zero to Three.

Lynch, E.W. (1996). When Concerns Arise: Identifying and Referring Children with Exceptional Needs (Cuando surgen inquietudes: Identificando y refiriendo a los niños con necesidades excepcionales). En el libro de Kuschner, A., Cranor, L. y Brekken, L. *Project Exceptional: A Guide for*

Training and Recruiting Child Care Providers to Serve Young Children with Disabilities (Proyecto Excepcional: Una guía para la capacitación y reclutamiento de proveedores de cuidados infantiles para el servicio de niños pequeños con incapacidades), Volumen 1. Sacramento, CA: Departamento de Educación de California

Nelsen, J. (1996). *Positive Discipline (Disciplina positiva)*. New York, NY: Ballantine Books.

Nelsen, J. (2000). *From Here to Serenity: Four Principles for Understanding Who We Really Are (De aquí a la serenidad: Cuatro principios para comprender quienes somos realmente)*. Roseville, CA: Prima Publishing.

Tertell, E., Klein, S. y Jewett, J. (Editores.). (1998). When Teachers Reflect: Journeys Toward Effective, Inclusive Practice (Cuando los maestros reflexionan: Jornadas hacia prácticas inclusivas efectivas). Washington, D.C.: NAEYC.

Warren, K. (1996). Family Caregiving Partnerships (Asociaciones con los proveedores de cuidados familiares). En el libro de Kuschner, A., Cranor, L. y Brekken, L. *Project Exceptional: A Guide for Training and Recruiting Child Care Providers to Serve Young Children with Disabilities (Proyecto Excepcional: Una guía para la capacitación y reclutamiento de proveedores de cuidados infantiles para el servicio de niños pequeños con incapacidades)*, Volumen 1. Sacramento, CA: Departamento de Educación de California.

Zavitkovsky, D., Baker, K.R., Berlfein, J.R. y Almy, M. (1986). *Listen to the Children (Escuche a los niños)*. Washington, D.C.: NAEYC.

 VIDEO

Protective Urges: Working with the Feelings of Parents and Caregivers (Impulsos protectivos: Trabajando con los sentimientos de los padres de familia y de los proveedores de cuidados infantiles). (Video y videorevista) Programa para proveedores de cuidados infantiles de bebés y niños pequeños. Sacramento, CA: Departamento de Educación de California.

TABLA DE INCIDENTES

FECHA; HORA	ANTECEDENTES (¿Qué fue lo que pasó antes?)	TIPO DE COMPORTAMIENTO (¿Qué hizo el niño?)	CONSECUENCIAS (¿Qué sucede después?)	FUNCIÓN PERCIBIDA (¿Cuál fue el posible objetivo del comportamiento?)

ESTRATEGIAS

PLAN DE RESOLUCIÓN DE PROBLEMAS

A. Reconozca y aclare sus sentimientos.	
B. Reconozca los sentimientos de los demás.	
C. Aclare los temas críticos.	
D. Identifique los puntos fuertes.	

PASOS PARA LA RESOLUCIÓN DE PROBLEMAS	
1. Definea el problema.	
2. Reúna información.	
3. Asóciese con otros adultos.	
4. Lleve a cabo una lluvia de ideas para encontrar soluciones.	
5. Seleccione una solución y haga un plan.	
6. Ponga en práctica la solución.	
7. Evalúe la solución.	

© 2005 L. Brault

CAPÍTULO 4
EL NIÑO COMO INDIVIDUO

En ocasiones, usted puede alterar el ambiente y el plan de estudios para un niño en particular y trabajar para mejorar su relación—pero sus estrategias parecen no funcionar para dicho niño. En este capítulo, analizamos más a fondo algunos de los factores que tal vez quiera considerar acerca de un niño en particular bajo sus cuidados.

SECCIÓN 1
EL COMPORTAMIENTO ES COMUNICACIÓN

Una historia de la vida real

Los niños en el programa después de la escuela estaban sentados frente a una mesa grande haciendo su tarea escolar. Varias de las niñas comenzaron a hablar en voz baja. "Prohibido hablar," dijo Joy, una estudiante de segundo año, viéndolas. Unos momentos después, nuevamente comenzaron con sus cuchicheos. "¡Está prohibido hablar aquí!" gritó Joy. Kim, la coordinadora se acercó. "¿Cuál es el problema, Joy?" "Todos están hablando. La regla dice que está prohibido hablar en la mesa de hacer la tarea escolar." Kim meneó la cabeza. "Sólo te escuché a tí, Joy. ¿Quieres cambiarte a otra mesa?" Joy estaba claramente disgustada. "No, ¡lo que quiero es que dejen de hablar!" Las otras niñas alzaron la vista, recogieron sus trabajos y se cambiaron de mesa. Joy se quedó sola en la mesa.

Muchos expertos en el área de comportamiento desafiante están de acuerdo en que el comportamiento frecuentemente es usado para comunicar algo que el niño no puede explicar de otra forma. Esto es obvio cuando los niños están muy pequeños o aún cuando tienen retrasos en algunas áreas de su desarrollo. Sin embargo, también es verdad que el comportamiento se usa para comunicar aún cuando el niño (o el adulto) tiene palabras u otras maneras de comunicarse. La manera en que los seres humanos comunican sus sentimientos, necesidades, frustraciones, desilusiones, placeres y otros sentimientos frecuentemente aparece más rápida y claramente en su comportamiento que con palabras. Tal vez Joy es más sensible a los ruidos que la mayoría de los niños. Tal vez tenga una comprensión rígida de las reglas. Es posible que ella se sintió olvidada por los cuchicheos de las otras niñas y no sabía como formar parte del grupo. Su comportamiento muestra que ella está comunicando más de lo que sus palabras pueden decir.

El buscar un propósito en un comportamiento en particular o tendencia de comportamientos le puede dar algunas ideas acerca de lo que está tratando de comunicar el niño (véase "Manejo básico del comportamiento," página 76). También encontrará otras maneras en cuanto a la comunicación que se expresan aquí.

DISCIPLINA POSITIVA

Un enfoque para la asesoría y manejo de grupos que muchos educadores dedicados a los primeros años del niño y padres de familia encuentran efectivo está descrito por Jane Nelsen en *Positive Discipline (Disciplina positiva)*. La base para el enfoque de Nelsen es ser amable y firme. La filosofía subyacente es una de respeto hacia el niño y al mismo tiempo de reconocer el papel muy importante que juegan los adultos en apoyar el crecimiento y desarrollo de los niños pequeños.

El libro *Positive Discipline (Disciplina Positiva)* enseña que los niños desafían a los adultos para comunicar sus necesidades o metas. Los niños quieren las mismas cosas que todo mundo quiere: la necesidad de ser parte de algún grupo, de sentirse importante, de lograr cosas, de satisfacer sus deseos, de ser querido. La meta subyacente de todo comportamiento humano es encontrar un sentido de pertenecer o formar parte de algo y sentirse importante. En ámbitos familiares y en grupos, el comportamiento de los adultos pone énfasis en el aspecto de sentirse parte del grupo— el deseo de formar parte de algo. Los niños pequeños, por el otro lado, están motivados por su necesidad de sentirse importantes— quieren sentirse únicos. Puede parecer que estas metas son contradictorias, cuando de hecho son dos lados de la misma moneda.

Todo mundo tiene la necesidad de sentirse parte de algo al ser valorado por lo que es, como un ser excepcional.

METAS MALINTERPRETADAS

El comportamiento es comunicación, ¿entonces que es lo que trata de decir el niño desafiante? En el libro de Jane Nelsen *Positive Discipline (Disciplina Positiva)*, Rudolf Dreikurs identifica cuatro metas malinterpretadas de comportamiento: atención, poder, venganza y supuesta insuficiencia. Estas metas malinterpretadas nos ayudan a entender lo que está tratando de comunicar el niño. Sin embargo, a través de todo, la meta subyacente de los niños (y adultos), indica Dreikurs, siempre es formar parte de algo y sentirse importante.

> "Si usted trata de detener un comportamiento sin primero responder a su objetivo, el niño tal vez utilizará otra manera de alcanzar su objetivo."

Piense nuevamente cómo puede estructurar y diseñar su tiempo con los niños. ¿Cuánto valor pone usted en las metas subyacentes de ayudarles a los niños a sentirse como parte de algo y de sentirse importantes? ¿Con qué frecuencia observa usted cuidadosamente a los niños para ver cuales son sus intereses? ¿Cómo puede usted ser respetuoso de los niños con comportamientos desafiantes y al mismo tiempo reconocer sus propias frustraciones y necesidades? El libro *Positive Discipline (Disciplina Positiva)* y otros escritos por Nelsen incluyen una tabla que le ayudará a examinar los comportamientos del niño, sus sentimientos como adulto, posibles metas malinterpretadas y estrategias útiles.

COMPORTAMIENTOS DE REEMPLAZO

Todo comportamiento es comunicación y tiene un objetivo. Un niño nos está diciendo, "Es demasiado difícil" o "No entiendo" o "Lo quiero ahorita" o "Ponme atención." Como dicen Strain y Hemmeter, "Cualquier comportamiento desafiante que persiste por un período de tiempo está 'funcionándole' al niño."[1]

Solamente después de descifrar lo que el niño está tratando de lograr con el comportamiento desafiante usted podrá comenzar a modificar o a cambiar dicho comportamiento. Si usted trata de detener un comportamiento sin primero responder a su objetivo, el niño tal vez utilizará otra manera de alcanzar su objetivo. Si el objetivo del comportamiento es aceptable pero el tipo en sí del comportamiento no lo es, usted puede ofrecer un ***comportamiento de reemplazo.*** (Véase el Capítulo 3, páginas 76-77 para más información sobre los tipos y objetivos de comportamiento.) Por ejemplo, si Tamika grita cuando necesita descansar de una actividad, ella puede aprender a decir, "Descanso, por favor" o tocar una foto de una niña levantándose de una silla. Al principio usted necesita anticipar cuando Tamika pudiera necesitar un descanso y animarla a pedir uno, usando uno de los comportamientos de reemplazo que usted la ha enseñado.

Aunque pudiera parecer que toma mucho tiempo tratar de identificar y responder al objetivo de los comportamientos, considere cuánto tiempo adicional toma el responder a los comportamientos inapropiados. Usted también podrá encontrar que cuando deja de examinar el objetivo del comportamiento de un niño, puede implementar algunas de las técnicas preventivas mencionadas en las páginas 70-76 y ser igualmente efectivo.

SECCIÓN 1
RECURSOS

SITIOS WEB

Parentcenter.com
http://www.parentcenter.com
Este sitio Web contiene una variedad de artículos y herramientas enfocadas a la edad del niño. El "solucionador de problemas" es un conjunto muy interesante de enlaces a ideas sobre como responder al comportamiento desafiante. "ParentCenter.com es un recurso fácilmente navegable diseñado para ayudarle a los padres de familia de niños entre los 2 y los 8 años de edad a manejar mejor y disfrutar de los retos diarios de criar a hijos increíbles."

Family Education Network (Red de Educación Familiar)
http://familyeducation.com/home
"Los principios básicos de **Family Education Network** (Red de Educación Familiar) son el ser una red para el consumidor a través del Internet de los mejores recursos del mundo en cuanto a aprendizaje e información; está personalizado para ayudarles a los padres de familia, maestros y estudiantes de todas las edades a tomar control de su aprendizaje e incorporarlo a todos los aspectos de sus vidas diarias."

Positive Discipline (Disciplina Positiva)
http://www.positivediscipline.com
"Alfred Adler desarrolló una psicología social que proponía que el comportamiento humano está impulsado por nuestra necesidad de sentirnos parte de algo y de sentirnos importantes. Muchos programas populares sobre la crianza de los hijos incluyendo el de la Disciplina Positiva, la Capacitación Sistemática para la Crianza Efectiva de Niños y el Desarrollo de Personas Capaces están basados en el Enfoque Adleriano, igual que lo que escribió Rudolf Dreikurs (*Children the Challenge*) (*Niños el reto*) y Faber y Mazlisch (*How to Talk so Kids will Listen and Listen so Kids will Talk, Siblings without Rivalry*) (*Cómo hablar para que los niños escuchen y escuchar para que los niños hablen, hermanos sin rivalidades*) y por supuesto Jane Nelsen, Lynn Lott, Cheryl Erwin, et al. (la *serie de Positive Discipline*)."

The Positive Discipline Philosophy (La Filosofía de la Disciplina Positiva)
http://www.positivediscipline.com/What_is_Positive_Discipline.html
"La Disciplina Positiva está basada en las filosofías de Alfred Adler y Rudolf

Dreikurs quienes piensan que todos los seres humanos cuentan con derechos de igualdad a la dignidad y respeto. Todos los métodos de Disciplina Positiva no son punitivos ni permisivos. Son "Amables" y "Firmes" al mismo tiempo. Son Amables, porque muestran respeto hacia el niño (y hacia el adulto) y son firmes porque muestran respeto por lo que se necesita lograr."

The Center for Effective Collaboration and Practice
(El Centro para la Colaboración y las Prácticas Efectivas)
http://cecp.air.org
"Los principios básicos del Centro para la Colaboración y las Prácticas Efectivas son apoyar y promover una preparación nacional reorientada para fomentar el desarrollo y el ajuste de los niños en peligro de desarrollar serios problemas emocionales.

Briefs for Families on Evidenced-Based Practices
(Informes para Familias sobre Prácticas con Base en las Pruebas)
http://cecp.air.org/familybriefs/default.asp
"Los padres de familia rara vez tienen acceso a información basada en las investigaciones. Estos informes reflejan el compromiso de CECP de proporcionarles a las familias información útil acerca de las prácticas con base en las pruebas. Incluyen informes sobre la toma de decisiones y otras estrategias preventivas."

The Center on the Social and Emotional Foundations for Early Learning
(El Centro sobre los Fundamentos Sociales y Emocionales de Aprendizaje durante los Primeros Años del Niño)
http://csefel.uiuc.edu/
"El Centro sobre los Fundamentos Sociales y Emocionales de Aprendizaje durante los Primeros Años del Niño es un centro nacional enfocado a fortalecer la capacidad de Cuidados Infantiles y de 'Head Start' con el fin de mejorar los resultados sociales y emocionales de los niños pequeños. El Centro desarrollará y divulgará información fácil de usar con base en las pruebas para ayudar a los educadores dedicados a los primeros años del niño a cumplir con las necesidades de un número creciente de niños con comportamientos desafiantes y con necesidades de salud mental en los programas de cuidados infantiles y de 'Head Start.'"

 LIBROS

Bricker, D. y Squires, J. (1999). *Ages and Stages Questionnaire (Cuestionario sobre edades y etapas). (ASQ)* Baltimore, MD: Brookes.

Essa, E. (1998). *A Practical Guide to Solving Preschool Behavioral Problems (Una guía práctica para resolver problemas de comportamiento de niños de edad preescolar).* Albany, NY: Delmar.

Kaiser, B. y Rasminsky, J.S. (1999). *Meeting the Challenge: Effective Strategies for Challenging Behaviors in Early Childhood Environments (Enfrentando el reto: Estrategias efectivas para los comportamientos desafiantes en ambientes durante los primeros años del niño).* Ottawa, Ontario, Canadá: Canadian Child Care Federation.

Neilson, S.L., Olive, M.L., Donavon, A. y McEvoy, M. (1999). Challenging Behaviors in Your Classroom? Don't React—Teach Instead. (¿Comportamientos desafiantes en su salón de clase? No reaccione - Al contrario, enseñe) En el libro de Sandall, S y Ostrosky, M. (Editores), *Practical Ideas for Addressing Challenging Behaviors (Ideas prácticas para responder a comportamientos desafiantes). Serie de Monografías sob re Niños Pequeños Excepcionales, División de los Primeros Años del Niño.* Longmont, CO: Sopris West.

Nelsen, J. (1996). *Positive Discipline (Disciplina positiva)* New York, NY: Ballantine Books.

Nelsen, J. (1999). *Positive Time Out (Hacer una pausa forzada positiva).* Rocklin, CA: Prima Publishing.

Reichle, J., McEvoy, M.A. y Davis, C.A. (1999). *A Replication and Dissemination of a Model of Inservice Training and Technical Assistance to Prevent Challenging Behaviors in Young Children with Disabilities: Proactive Approaches to Managing Challenging Behavior in Preschoolers (Una réplica y divulgación de un modelo de capacitación durante el servicio y ayuda técnica para prevenir los comportamientos desafiantes en los niños pequeños con incapacidades).* Proyecto Minnesota Behavioral Support Project (Proyecto de Apoyo al Comportamiento de Minnesota), Estado de Minnesota, Universidad de Minnesota. Obtenido del sitio Web en http://ici2.umn.edu/prechoolbehavior/strategies/stategy.pdf

Rodd, J. (1996). *Understanding Young Children's Behavior (La comprensión del comportamiento de un niño pequeño).* New York, NY: Teachers College Press.

Strain, P.S. y Hemmeter, M.L. (1999). *Keys to Being Successful When Confronted with Challenging Behavior (La clave del éxito cuando nos vemos expuestos a un comportamiento desafiante).* En el libro de Sandall, S y Ostrosky, M. (Editores), *Practical Ideas for Addressing Challenging*

Behaviors (Ideas prácticas para responder a comportamientos desafiantes). Serie de Monografías sobre Niños Pequeños Excepcionales. División de los Primeros Años del Niño. Longmont, CO: Sopris West.

SECCIÓN 2
OBSERVACIÓN

Una historia de la vida real

LaTonia había estado trabajando con niños por más de cinco años y se sentía confiada de sus conocimientos de ellos, pero Ty le preocupaba. Por un lado, él no platicaba muy a menudo. También le gustaba que lo dejaran solo y le gustaba jugar solo y se molestaba cuando otros niños se le acercaban. Ty no se había mostrado afectuoso con LaTonia, aunque él era cariñoso con su madre cuando lo venía a recoger. LaTonia no sabía exactamente que pensar sobre esto. ¿Qué era lo que Ty tenía que le molestaba?

A veces un niño sobresale por ser diferente a los demás niños en su grupo u otros niños de esa edad con los cuales usted ha trabajado antes. Sin embargo, no es suficiente solamente pensar que un niño no habla muy bien o es agresivo. Antes de decidir qué hacer, usted debe identificar cuáles son las áreas que le preocupan. La mejor manera para hacerlo, es observar al niño durante un período de tiempo prolongado. La información que usted obtenga le dará ideas de adaptación y de intervención que le ayudarán cuando hable con la familia del niño.

CONOCIMIENTOS DE DESARROLLO

Las etapas de desarrollo de los niños revelan importantes pistas acerca de su comportamiento. Muchos comportamientos que retan a los educadores dedicados a los primeros años del niño en realidad son típicos para la edad y la etapa del niño. (Véanse los Capítulos 1 y 2 para obtener mayor información acerca del comportamiento en relación al desarrollo, temperamento, estilos de aprendizaje, cultura y lenguajes del niño.) Por supuesto, los comportamientos desafiantes pueden relacionarse al desarrollo del niño en otras áreas. Tal vez el niño se ha vuelto desafiante porque no ha llegado a dominar ciertas habilidades claves que le permitirán interactuar en forma positiva con el ambiente, comunicar efectivamente con amigos y familia y continuar aprendiendo y creciendo.

El uso de listas de control de desarrollo o herramientas de evaluación puede proporcionar orientación para determinar si los problemas de comportamiento estén relacionados con retrasos en el desarrollo. Algunas de estas herramientas están enlistadas en la sección de recursos. Un buen libro de consulta para leer sobre temas de desarrollo y sus soluciones es el libro de Deborah Hewitt *So This Is Normal Too? (¿Así que esto es normal también?)*. Hewitt examina temas como la separación, el entrenamiento para ir al baño solo, niños que tienen problemas para comer, niveles de actividad, cómo obtienen los niños la atención, curiosidad sexual, cuentos vs. verdades, luchas de poder, berrinches, juegos de superhéroes, reunirse con otros para jugar, la toma de turnos, decir groserías, decir chismes, agresión y morder.

OBSERVACIÓN EN EL MOMENTO

La observación en el momento involucra observar a los niños cuidadosamente para ver que indicios están proporcionando. *Program for Infant/Toddler Caregivers (PITC) (Programa para proveedores de cuidados infantiles a bebés y niños pequeños)* ha desarrollado un proceso rápido y continuo para la observación en el momento: observe, pregunte y adapte. Cuando tenga dudas acerca del desarrollo de un niño, este proceso oportuno es su primer paso y puede servir como guía para sus siguientes pasos.

 Observe: La observación le proporciona un fundamento en donde puede basar todos sus pensamientos y acciones acerca del niño. Usted hace todo lo posible para entrar al mundo del niño.

 Pregunte: Usted se hace preguntas de sí mismo y del niño. Usted considera, ¿Cuántas preguntas puedo hacerme acerca de lo que hace este niño y por qué?

 Adapte: Usted cambia lo que hace con base en lo que ha aprendido mediante la observación y las preguntas. Usted observa nuevamente para ver qué efecto tiene la adaptación.

EVALUACIÓN INFORMAL

Lo clave para comprender a un niño es la observación cuidadosa y la obtención de información. Para entender completamente lo que le causa inquietudes, necesita observar al niño durante un período de tiempo, no simplemente por un momento. Este tipo de observación, conocido como la evaluación informal, incluye la concentración en aspectos del desarrollo, comportamiento o cualquier otro elemento del niño. Puede ayudarlo a aclarar e identificar información específica cuando tenga preguntas o inquietudes. Es útil llevar a cabo observaciones cuidadosas y determinar temas antes de utilizar un proceso de resolución de problemas. Muchas personas pasan por alto este paso y tratan de seguir adelante con las soluciones, solamente para encontrar que no entendieron totalmente el tema. Después de identificar el problema, usted puede continuar con sus observaciones como parte de la obtención de información para el Paso 2 (véase la página 89).

ANTES DE LA OBSERVACIÓN

Al observar a un niño durante un período de tiempo, es importante pensar en el niño en relación a los demás niños de la misma edad. Consulte las tablas sobre el desarrollo, las cuales puede obtener de diversos proveedores. Puede usar herramientas de evaluación si son apropiadas. Generalmente tendrá que obtener el consentimiento y participación de la familia, a menos que la evaluación se les haga a todos los niños y ya tenga el permiso de la familia en sus registros. También es muy importante considerar como las diferencias culturales o el idioma pueden contribuir en su percepción del desarrollo del niño. Si tiene personal o especialistas dentro de su programa o agencia, aproveche también de sus conocimientos y experiencias.

PASOS DE LA OBSERVACIÓN

Frecuentemente sus observaciones le dará ideas sobre cómo cambiar el ambiente o su manera de responder al niño. Incluso, si las modificaciones que usted hace no cambian adecuadamente el comportamiento, tendrá información importante para los siguientes pasos: hablar con la familia, usar una técnica de resolución de problemas u obtener apoyo para sí mismo. Las siguientes ideas de Cook, Tessier y Klein (2000) le pueden ayudar en su observación.

1. Observe al niño.
- Asegúrese de observar al niño solo, con otros, en respuesta al ambiente, en una variedad de ámbitos y a diferentes horas del día. Dedíquese a sólo un niño a la vez.

- Trate de que el niño no se dé cuenta. Cuando un niño sabe que lo están observando, es probable que su comportamiento cambie.

- Después de la observación inicial, identifique una o dos áreas de preocupación. Concéntrese en dichas áreas durante el resto de la observación.

2. Documente sus observaciones.
- Es importante anotar sus observaciones escribiéndolas en forma de

anécdotas, anotando comportamientos en una lista o contando el número de incidentes de un comportamiento en particular.

- Algunos factores para considerar al estar documentando el comportamiento incluyen:

> **frecuencia** (qué tan frecuente sucede un comportamiento, problema o inquietud)
>
> **intensidad** (qué tanto interfiere dicho comportamiento con la actividad del niño)
>
> **duración** (cuánto dura el comportamiento)
>
> **consistencia** (existe una tendencia o algo que provoca la situación)
>
> **propósito** (por qué se presenta dicho comportamiento)
>
> **antecedentes** (qué sucedió antes)
>
> **consecuencia/recompensas** (qué sucedió después)

3. Modifique.

- Haga algunos cambios. El ambiente, *plan de estudios* y sus propias reacciones o comportamiento son los factores más fáciles de cambiar.

- Intente algunas de las estrategias de esta guía, con base en sus observaciones.

4. Evalúe y documente los resultados de sus modificaciones.

5. Comparta sus inquietudes con la familia.

- Sea concreto y específico y proporcione ejemplos de sus observaciones.

- Evite hacer una diagnosis o de usar términos de diagnóstico.

- Consulte el libro de Brault y González-Mena: "Talking with Parents When Concerns Arise" (Hablando con los padres de familia cuando surgen inquietudes) mencionado en la sección de recursos.

6. Escuche las impresiones de la familia.

- Si la familia no reconoce el problema, tal vez el comportamiento no sucede en casa.

- Invite a que los padres observen al niño en su salón y que le proporcionen sugerencias.

7. Apoye a la familia para obtener ayuda.

- La preocupación más grande de los padres de familia es que usted rechace a su hijo o a ellos mismos si necesitan ayuda adicional. Infórmele a la

EL NIÑO COMO INDIVIDUO

115

familia que usted está para apoyar a su hijo y para incorporar nuevas ideas.

● En este momento, la familia puede decidir que el niño necesita más evaluación. Es útil para usted tener información acerca de los recursos locales que pueden estar disponibles al niño y a su familia.

● Deje que los padres tomen el primer paso en cuanto a referir al niño a un especialista en comportamiento, programa de intervención temprana, distrito escolar local o pediatra.

SECCIÓN 2
RECURSOS

 ## LIBROS Y ARTÍCULOS

Abbott, C.F. y Gold, S. (1991). "Conferring with Parents When You're Concerned That Their Child Needs Special Services" (Consultando con los padres cuando usted tiene la inquietud que su hijo necesita servicios especiales). *Young Children.* 46 (4): 10-14.

Brault, L. y González-Mena, J. (2004). Talking with Parents When Concerns Arise (Hablando con los padres cuando surgen inquietudes). En el libro de González, J., *The Caregivers Companion Readings and Professional Resources (Lecturas y recursos profesionales del tomo para proveedores de cuidados infantiles).* New York, NY: McGraw-Hill Companies, Inc.

Cook, R.E., Tessier, A. y Klein, M.D. (2000). *Adapting Early Childhood Curricula for Children in Inclusive Settings* (5th Ed.) *(Adaptando los planes de estudios durante los primeros años del niño en ámbitos inclusivos)* (5ta edición). Upper Saddle River, NJ: Prentice Hall, Inc.

Hewitt, D. (1995). *So This Is Normal Too?(¿Así que esto es normal también?).* St. Paul, MN: Redleaf Press.

Lynch, E.W. (1996). *When Concerns Arise: Identifying and Referring Children with Exceptional Needs (Cuando surgen inquietudes: Identificando y refiriendo a los niños con necesidades excepcionales).* En el libro de Kuschner, A., Cranor, L. y Brekken, L. *Project Exceptional: A Guide for Training and Recruiting Child Care Providers to Serve Young Children with Disabilities (Proyecto Excepcional: Una guía para la capacitación y reclutamiento de proveedores de cuidados infantiles para el servicio de niños pequeños con incapacidades),* Volumen 1. Sacramento, CA: Departamento de Educación de California.

 ## VIDEO

Protective Urges: Working with the Feelings of Parents and Caregivers (Impulsos protectores: Trabajando con los sentimientos de los padres de

EL NIÑO COMO INDIVIDUO

familia y de los proveedores de cuidados infantiles). (Video y videorevista) Programa para Proveedores de Cuidados Infantiles de Bebés y Niños Pequeños, Sacramento, CA: Departamento de Educación de California.

GLOSARIO DE CONSULTA RÁPIDA

comportamiento de reemplazo: un comportamiento que toma el lugar de un comportamiento menos deseado

plan de estudios: una descripción organizada de lo que usted está haciendo para promover el desarrollo de los niños en todas las áreas

SECCIÓN 3
FACTORES CONTRIBUYENTES

Una historia de la vida real

Robyn estaba nerviosa cuando llegó a la cita con el pediatra. Ella había hecho todo lo posible por ayudarle a su hija Sascha a tener éxito en la clase y agradecía el apoyo que había recibido de los maestros y de la directora. Sin embargo, los maestros le habían recomendado a Robyn que tomara el siguiente paso y que hablara con alguien en cuanto que otra cosa podría ayudar a Sasha. Robyn tenía en la mano la lista que habían escrito juntos acerca de todo lo que ya habían hecho para ayudar a su hija. Hasta ahora, el temor más grande de Robyn era que el médico ni siquiera la fuera a escuchar. Pero él la escuchó detenidamente, cuando ella le comentó más temprano ese día durante el examen físico de kinder de Sascha. El médico la había invitado a regresar al final del día para que pudieran hablar más sin interrupciones. Robyn pensó en su gentil mirada, respiró profundamente y entró al consultorio médico. Ella sabía que esta cita podría ser el inicio para poder ayudar a Sascha.

A veces, las cosas externas sobre las cuales tiene usted control no ofrecen toda la solución para responder al niño con un comportamiento desafiante. Tales factores como el estrés o trauma, incapacidad, problemas médicos o de salud mental pueden estar contribuyendo al comportamiento del niño. Los niños con incapacidades o necesidades especiales frecuentemente son más sensibles a las condiciones en el ambiente o a los *planes de estudios* (véase el Capítulo 1, páginas 12-39). También cuentan con menos maneras de hacer frente al estrés de los grupos grandes, del ruido y de actividades que no son apropiadas a sus edades o capacidades. Para comunicar su estrés, los niños con incapacidades o necesidades especiales pueden mostrar un comportamiento difícil.

Al responder al comportamiento desafiante en los niños con incapacidades u otras necesidades especiales, trabaje de cerca con la familia del niño y con cualquier especialista que pueda estar tratando o cuidando al niño. Juntos, planeen metas y actividades. Asegúrese de comprender como el comportamiento del niño y las estrategias de usted podrán estar influenciados por la misma incapacidad o problema médico. Cuando por ejemplo, esté explorando *comportamientos de reemplazo* para un niño con retrasos importantes en el desarrollo de su lenguaje, use el mismo método de comunicación que usan los especialistas y miembros de la familia con el niño.

ESTRÉS Y TRAUMA

Un niño frecuentemente demuestra un comportamiento desafiante cuando experimenta estrés, trauma o cambios en el ambiente del hogar. Por ejemplo, las pérdidas familiares debido a una separación o divorcio, servicio militar, enfermedad o muerte pueden causar que el niño se aferre a las personas. Como el educador dedicado a los primeros años del niño en la vida usted tal vez sea la única cosa que no cambia. Usted puede proporcionarle estabilidad al niño. Su consuelo puede apoyar al niño en su ajuste al cambio. Recuerde, el comportamiento es comunicación y el niño tiene mucho que contar. Si usted puede tolerar el comportamiento, acéptelo o ignórelo por un tiempo. Si no puede aceptar o ignorar el comportamiento, tal vez porque es muy agresivo, actúe para mantener seguro al niño y a los demás niños dentro de su ámbito.

Para mejorar su capacidad de ayudarle al niño a usar un comportamiento más apropiado, comience fortaleciendo su relación con el niño. Asimismo, manténgase informado sobre cómo los terapeutas u otros especialistas están apoyando al niño y a la familia. Busque ayuda si la necesita. Las organizaciones locales que proporcionan servicio a las familias que experimentan algún trauma, son también buenos recursos. Aumente sus habilidades profesionales al leer artículos o participe en capacitación adicional sobre cómo trabajar con los niños que tienen diferentes tipos de trauma.

INCAPACIDAD Y COMPORTAMIENTO

Los niños con incapacidades generalmente pasan por los mismos comportamientos y etapas de desarrollo que los demás niños, aunque tal vez a un paso más lento. Sus comportamientos desafiantes también pueden ser tratados como usted lo haría con la mayoría de los niños. Empiece observando al niño y hablando con la familia (repase los pasos de la observación en las páginas 114-116). Muchos niños con incapacidades reciben servicios de educación especial, terapia del habla, intervención temprana y de otros especialistas. Estos especialistas ofrecen increíbles fuentes de información. Pueden ayudarlo a mejor entender a su hijo y ofrecer sugerencias acerca de cómo ser más efectivo.

Algunos comportamientos que generalmente muestran los niños a una edad en particular pueden ser retadores cuando los muestran los niños más grandes. Esto puede suceder con los niños con una incapacidad o retraso en su desarrollo. Asimismo, a veces dicho comportamiento dura más en un niño con una incapacidad. Un niño de cuatro o cinco años con un retraso mental, que contínua tirando juguetes como una manera de exploración y juego es un buen ejemplo de esto. A veces las familias de niños con retrasos en el desarrollo tratan de cambiar un comportamiento desafiante. Sin embargo, si este comportamiento es parte del progreso de desarrollo del niño, puede ser necesario ser más cuidadoso con el uso de los objetos suaves. Es importante que colabore con la familia y con los especialistas trabajando con el niño para separar la incapacidad del comportamiento y desarrollar un plan de acción apropiado.

> "Cuando los miembros de la familia solicitan que los especialistas compartan información, usted puede entender mejor el impacto de la incapacidad sobre el comportamiento del niño."

Los niños con la misma diagnosis no siempre demuestran los mismos patrones de comportamiento. Por esta razón, es muy importante que usted sea incluido en el equipo de especialistas que están ayudando a un niño en particular con una incapacidad identificada u otra necesidad especial. Cuando los miembros de la familia solicitan que los especialistas compartan información, usted puede entender mejor el impacto de la incapacidad sobre el comportamiento del niño. Usted aprovechará de los recursos, ideas y estrategias sugeridas del equipo, al ayudarle al niño ser exitoso en el ámbito.

A veces una incapacidad u otra necesidad especial no es identificada o diagnosticada hasta que el niño crece más. En estos casos, usted puede considerar la información disponible a través de la observación y discusión con la familia al diseñar los planes de comportamiento. Por ejemplo, un niño pequeño con retrasos en el desarrollo del lenguaje, puede tener otros retrasos que aparecen más tarde al aumentar los requisitos académicos. Estos retrasos o diferencias en el aprendizaje pueden tener un impacto sobre el comportamiento de los niños. Los niños con retrasos en el aprendizaje y en el desarrollo frecuentemente tienen diferentes maneras de aprendizaje a los que tienen los demás. Por ejemplo, algunos niños pierden las indicaciones sociales y necesitan más enseñanza directa en cuanto a las habilidades sociales (véase las páginas 73-75). Otros niños se enfocan solamente en lo que está siendo dirigido a ellos en vez de aprender de lo que sucede a su alrededor. El determinar cómo aprende el niño con quien usted está trabajando puede ayudarle a diseñar planes de comportamiento más apropiados.

Después de completar la observación de un niño (véase las páginas 114-115), tal vez tenga algunas ideas acerca de cómo el niño toma la información

EL NIÑO COMO INDIVIDUO

o su proceso de aprendizaje. Luego puede reflexionar sobre esta información y buscar otras técnicas para ayudarle. Si Jasmine frecuentemente se frustra cuando se le pide hacer algo nuevo, tal y como poner la mesa para la comida, usted debe enseñarle la tarea usando pasos pequeños. Por ejemplo, dígale que coloque las cucharas después de que alguien más ha colocado los platos y las servilletas. Si Nathan no sabe que hacer cuando se le entrega los materiales para una actividad artística, intente dándole solamente lo que necesita para empezar y luego agregue nuevos materiales cuando los vaya necesitando. Las ideas y las técnicas para el aprendizaje del inglés por parte de los niños (véase las páginas 60-62) también pueden ser útiles para los niños con diferencias en el aprendizaje y retrasos en el lenguaje.

PROBLEMAS MÉDICOS

Puesto que muchos niños con problemas médicos crónicos demuestran comportamientos que están relacionados con su salud o su medicamento, es muy importante discutir estos temas con las familias. Por ejemplo, si usted está enterado que las medicinas para el asma crean altas y bajas dramáticas en la energía de un niño, puede buscar una tendencia en las reacciones del niño a dicha medicina. Usted puede así ajustar el horario de su programa para que pueda descansar el niño.

> "El comportamiento inapropiado puede ser un efecto secundario de la medicina para sus alergias."

Los niños con alergias frecuentemente tienen problemas para dormir, lo cual tiene un impacto negativo sobre su comportamiento. La congestión y nariz que moquea generalmente distraen al niño y hace que pierda la atención. El comportamiento inapropiado puede ser un efecto secundario de la medicina para sus alergias. Los niños pueden ser irritables, excitables, estar mareados y soñolientos. Pídale a la familia del niño información médica específica de las alergias, medicinas y tratamiento del niño. Si la información le es complicada o si tiene cualquier pregunta adicional, pídale permiso a la familia para hablar directamente con el personal médico. La familia tendrá que dar un permiso de divulgación de información con el nombre de usted y éste debe formar parte de los registros del personal médico para que puedan compartir información con usted.

Otros problemas médicos pueden tener un impacto invisible sobre el comportamiento. Por ejemplo, un niño con frecuentes infecciones de oídos puede tener líquido en sus oídos la mayor parte del tiempo, haciendo difícil que escuche claramente. Es posible que el niño que parece no estar escuchando simplemente no pueda escuchar bien o entender lo que están diciendo. Si sospecha que esto sea el caso, hable con la familia. Puede ayudarle al niño dentro de su ámbito si trata de obtener su atención y verlo directamente a los ojos antes de darle instrucciones. Asimismo, hable claramente y un poco más fuerte y trate de reducir cualquier ruido conflictivo en el ambiente.

TEMAS DE SALUD MENTAL

Se ha dado mucha atención en los medios de comunicación a los niños mal diagnosticados con problemas tales como el trastorno por falta de atención, ansiedad, depresión y otros problemas de salud mental. Aunque algunos niños reciben el diagnóstico por error, hay pruebas que apoyan que algunos niños pequeños son identificados correctamente con estos problemas.[2] Para estos niños, podría ser necesario tomar medicina para que las estrategias de intervención sean efectivas.

El comportamiento debe ser consistentemente fuera de lo normal para la edad del niño y estar presente en muchos ámbitos diferentes por un largo período de tiempo antes de que se pueda determinar con seguridad que hay un problema subyacente de salud mental. Los trastornos de comportamiento, emocionales y psiquiátricos se pueden reconocer en niños menores de cinco años de edad.[3] El diagnóstico de salud mental o psiquiátrico descrito en el Diagnostic and Statistical Manual for Mental Disorders (Manual diagnóstico y estadístico para trastornos mentales) (DSM-IV)[4] incluye muchos problemas tales como el trastorno por falta de atención e hiperactividad (ADHD), los trastornos de ansiedad, la depresión y los trastornos obsesivos y compulsivos. Puede encontrar una versión simplificada de los criterios de DSM-IV en el sitio Web de http://mysite.verizon.net/res7oqx1/index.html. Diagnostic Classification for Children (Clasificación Diagnóstica para Niños) recién nacidos a los tres años de edad (DC-0-3) también es usada por los especialistas trabajando con niños pequeños como una alternativa al formato de DSM para describir estos trastornos.[5]

Los trastornos de salud mental en los niños tal vez sólo pueden ser diagnosticados y tratados por un profesional médico o de salud mental apropiado. Una vez que usted ha considerado cuidadosamente los factores externos—ambiente, *plan de estudios*, relaciones, técnicas de manejo de grupos—puede dar apoyo a la familia y a los especialistas mientras examinen maneras para cambiar los factores internos (el problema bioquímico o neurológico) a través de medicina, dieta u otros tratamientos recomendados por un especialista.

Son importantes las descripciones cuidadosas de observación e información de los ambientes durante los primeros años del niño para un diagnóstico preciso y su tratamiento. Por ejemplo, Gus tiene un nivel alto de actividad y se distrae fácilmente y es altamente impulsivo (véase "Temperamento," paginas 46-48). Sin embargo, él participa correctamente en su ambiente de los primeros años del niño cuando se le da más oportunidades de moverse o de involucrarse más activamente. Esta información, proporcionada por el educador dedicado a los primeros años del niño, ayudará a los padres de Gus y a su pediatra a determinar si Gus tiene un problema subyacente de salud mental o si simplemente está en el extremo alto de la mayoría de las medidas de temperamento. Por el otro lado, Sascha tiene episodios de agresión y berrinches que sólo mejoran ligeramente o no responden a ninguna técnica de manejo de comportamiento usada consistentemente. Los padres de Sascha y su psiquiatra explorarán las causas bioquímicas internas.

SECCIÓN 3
RECURSOS

 SITIOS WEB

Children and Adults with Attention-Deficit/Hyperactivity Disorder (CHADD) (Niños y adultos con trastornos de falta de atención/ hiperactividad)
http://www.chadd.org
"Children and Adults with Attention-Deficit/Hyperactivity Disorder (CHADD) (Niños y adultos con trastornos de falta de atención/ hiperactividad), es una organización nacional sin fines de lucro proporcionando estudios, abogacía y apoyo a las personas con AD/HD. Además de nuestro sitio Web informativo, CHADD también publica una variedad de materiales impresos para que sus miembros y profesionales estén al corriente con los avances en la investigación, medicinas y tratamientos afectando a las personas con AD/HD."

The Center on the Social and Emotional Foundations for Early Learning (El Centro sobre los Fundamentos Sociales y Emocionales de Aprendizaje durante los Primeros Años del Niño)
http://csefel.uiuc.edu
"El Centro sobre los Fundamentos Sociales y Emocionales de Aprendizaje durante los Primeros Años del Niño es un centro nacional enfocado a fortalecer la capacidad de Cuidados Infantiles y de 'Head Start' con el fin de mejorar los resultados sociales y emocionales de los niños pequeños. El Centro desarrollará y dará a conocer información fácil de usar con base en las pruebas para ayudar a los educadores dedicados a los primeros años del niño a cumplir con las necesidades de un número creciente de niños con comportamientos desafiantes y con necesidades de salud mental en los programas de cuidados infantiles y 'Head Start.'"

The Incredible Years (Los años increíbles)
http://www.incredibleyears.com
"The Incredible Years (Los años increíbles) son programas efectivos y comprobados con base en la investigación dedicados a reducir los problemas de agresividad y comportamiento de los niños y aumentar la habilidad social en el hogar y en la escuela. Los programas de Los años increíbles fueron desarrollados por Carolyn Webster-Stratton, M.S.N., M.P.H., Ph.D., Profesora y Directora de la Parenting Clinic (Clínica para la Crianza de los Niños) en la Universidad de Washington. Ella es una enfermera y psicóloga

clínica certificada y ha publicado numerosos artículos científicos evaluando los programas de capacitación para ayudarles a las familias y a los maestros con los niños que son altamente agresivos, desobedientes, hiperactivos y distraídos. Ella cuenta con extensa experiencia clínica ayudando a más de 1,000 familias cuyos niños fueron diagnosticados con problemas de conducta y trastorno por falta de atención."

 LIBROS

Brenner, A. (1997). *Helping Children Cope with Stress (Ayudando a los niños enfrentarse al estrés)*. Lexington, MA: Jossey-Bass Publishers.

Cook, R.E., Tessier, A. y Klein, M.D. (2000). *Adapting Early Childhood Curricula for Children in Inclusive Settings* (5th Ed.) *(Adaptando los planes de estudios durante los primeros años del niño en ámbitos que incluyen a todo tipo de niños)* (5ta edición). Upper Saddle River, NJ: Prentice Hall, Inc.

Glasser, H. y Easley, J. (1999). *Transforming the Difficult Child: The Nurtured Heart Approach (Transformando al niño difícil: El enfoque cariñoso)*. Tucson, AZ: Center for the Difficult Child.

Greene, R.W. (2001). *The Explosive Child: A New Approach for Understanding and Parenting Easily Frustrated, Chronically Inflexible Children (El niño explosivo: Un nuevo enfoque para entender y criar a niños que se frustran fácilmente y crónicamente inflexibles)*. New York, NY: HarperCollins Publishers.

Greenspan, S.I. y Weider, S. (1998). *The Child with Special Needs: Encouraging Intellectual and Emotional Growth (El niño con necesidades especiales: Fomentando el crecimiento intelectual y emocional)*. Reading: MA: Addison-Wesley.

Honig, A.S. (1986). "Stress and Coping in Children" (El estrés y cómo enfrentarse a los problemas de los niños). *Young Children* 41(4), 50-63; (6), 47-59.

Klein, D., Cook, R. y Richardson-Gibbs, A. (2001). *Strategies for Including Children with Special Needs in Early Childhood Settings (Estrategias para incluir a los niños con necesidades especiales en programas durante los primeros años del niño)*. Albany, NY: Delmar.

Kuschner, A., Cranor, L.S. y Brekken, L. (Editores) (1996). *Project Exceptional: A Guide for Training and Recruiting Child Care Providers to Serve Young Children with Disabilities (Proyecto Excepcional: Una guía para la capacitación y reclutamiento de proveedores de cuidados infantiles para el servicio de niños pequeños con incapacidades)*, Volumen 1. Sacramento, CA: Departamento de Educación de California.

Slaby, R.G., Roedell, W.C., Arezzo, D. y Hendrix, K. (1995). *Early Violence Prevention: Tools for Teachers of Young Children (La prevención temprana de la violencia: Herramientas para los maestros de niños pequeños)*. Washington, DC: NAEYC.

Zeitlin, S. y Williamson, G.G. (1994). *Coping in Young Children: Early Intervention Practices to Enhance Adaptive Behavior and Resilience (Cómo enfrentarse a los problemas de niños pequeños: Prácticas de intervención temprana para mejorar el comportamiento adaptivo y la resistencia)*. Baltimore, MD: Paul H. Brookes.

GLOSARIO DE CONSULTA RÁPIDA

comportamiento de reemplazo: un comportamiento que toma el lugar de un comportamiento menos deseado

plan de estudios: una descripción organizada de lo que usted está haciendo para promover el desarrollo de los niños en todas las áreas

EL NIÑO COMO INDIVIDUO

EPÍLOGO
LA REFLEXIÓN COMO UNA HABILIDAD DE LA VIDA

Como usted ha aprendido al leer esta guía, existen muchas habilidades y muchas estrategias que puede usar para tratar el comportamiento desafiante en los niños. Sin embargo, no es sólo el conocimiento lo que lo capacitará para apoyar efectivamente a un niño. La capacidad para detenerse, reflexionar y decidir cómo actuar es la clave del éxito. La reflexión es lo que le permite entender lo que está más allá del comportamiento y cuál es la estrategia más efectiva para ese momento. Al ver los elementos del programa en forma sistemática, las relaciones, las estrategias y el niño en forma individual, se creará un mejor ambiente para todos los niños. Cuando usted actúa después de reflexionar en lugar de simplemente reaccionar frente a una situación, está proporcionando un modelo ejemplar poderoso para los niños. Los niños también aprenderán a ser pensadores reflexivos.

APOYANDO AL PENSAMIENTO REFLEXIVO

El pensamiento reflexivo toma tiempo, planeación e intención. Puede ser un reto encontrar el tiempo, la energía y los recursos para usar y apoyar este proceso de pensamiento reflexivo con el personal, los niños y las familias. El instituir el proceso puede necesitar más tiempo para planeación y más desarrollo profesional del personal, reuniones regulares con el personal, supervisión reflexiva y tiempo para llevar a cabo conferencias con los padres. Cuando los individuos reconocen y reflexionan, ocurre lo que se conoce con el nombre de proceso paralelo. Lo que experimentamos funciona en forma paralela e influencia el modo en que interactuamos con el personal, los miembro de la familia y los niños. El tomar tiempo para establecer las relaciones dentro y alrededor de su programa, hará que la reflexión sea más efectiva.

MIDIENDO EL ÉXITO

Cambiar no es fácil. Cuando usted por primera vez empieza a reflexionar y a verse a sí mismo de diferentes maneras, es posible que se sienta menos exitoso. Pero no se desanime; el éxito está en tratar. Enfóquese en cambios pequeños.

Recuerde: Probablemente las cosas no son tan malas como usted piensa.

Es como el cuento del pollito. Parece que el cielo se está cayendo, pero si puede evitar reaccionar a la emoción del momento y logra llegar al lugar tranquilo de la actuación y la iniciativa; si podemos capturar y contar los pensamientos que desencadenan las emociones y neutralizarlos y hacerlos difusos antes de rendirnos y poner nuevos pensamientos—entonces el nuevo comportamiento caerá en su lugar. La comunicación, que en su gran mayoría no es verbal, automáticamente seguirá al pensamiento. No tenemos que preocuparnos tanto sobre lo que hacemos, cuándo cambiamos lo que pensamos y cómo vemos al niño. Y si nos preocupamos menos, podemos disfrutar más.

Así es cómo sabemos que estamos teniendo éxito.

—*Mary Jeffers*

Aunque la mayoría de sus interacciones serán positivas, todavía habrá ocasiones en que usted reaccionará. Recuerde la meta de apoyar las dos necesidades que todo el mundo tiene:(1) formar parte de algo, formar parte del todo y (2) sentirse importante, ser único. El aprender sobre otros individuos nunca dejará de enseñarle cosas increíbles sobre usted mismo. Trabajar con un niño desafiante sólo acelera la curva de crecimiento. Considere lo siguiente: ¡El niño que patalea puede que lo lleve donde nadie más lo ha llevado!

RECURSOS

Esta es una compilación de los recursos listados a través de la guía.

SITIOS WEB

Abiator's Online Learning Styles Inventory (Inventario de Estilos de Aprendizaje de Abiator a través del Internet)
http://www.berghuis.co.nz/abiator/lsi/lsiintro.html
Las pruebas de Estilos de Aprendizaje en esta página tienen la intención de ayudarlo a lograr un mejor conocimiento sobre usted mismo en su papel de estudiante al destacar las formas en que usted prefiere aprender o procesar información.

Briefs for Families on Evidenced-Based Practices (Informes para Familias sobre Prácticas Basadas en las Pruebas)
http://cecp.air.org/familybriefs/default.asp
Los padres de familia rara vez tienen acceso a información basada en las investigaciones. Estos informes reflejan el compromiso de CECP de proporcionarles a las familias información útil y servible acerca de las prácticas basadas en las pruebas. Incluyen informes sobre la toma de decisiones y otras estrategias preventivas.

The Center for Effective Collaboration and Practice (El Centro de Colaboración y Prácticas Efectivas)
http://cecp.air.org
Los principios básicos del Centro de Práctica y de Colaboración Efectiva son apoyar y promover una preparación nacional reorientada a fomentar el desarrollo y ajuste de los niños en peligro de desarrollar serios problemas emocionales.

Center on the Social and Emotional Foundations for Early Learning (El Centro sobre los Fundamentos Sociales y Emocionales del Aprendizaje durante los Primeros Años del Niño)
http://csefel.uiuc.edu
El Centro sobre los Fundamentos Sociales y Emocionales del Aprendizaje durante los Primeros Años del Niño es un centro nacional enfocado en fortalecer la capacidad de Cuidados Infantiles y de "Head Start" con el fin de mejorar los resultados sociales y emocionales de los niños pequeños. El Centro desarrollará y divulgará información fácil de usar con base en

las pruebas para ayudar a los educadores dedicados a los primeros años del niño, a cumplir con las necesidades de un número creciente de niños con comportamientos desafiantes y con necesidades de salud mental en los programas de cuidados infantiles y de "Head Start."

Children and Adults with Attention Deficit/Hyperactivity Disorder (CHADD) (Niños y Adultos con Trastorno de Falta de Atención / Hiperactividad)

http://www.chadd.org

Children and Adults with Attention-Deficit/Hyperactivity Disorder (CHADD) (Niños y adultos con trastornos de falta de atención/hiperactividad), es una organización nacional sin fines de lucro proporcionando estudios, abogacía y apoyo a las personas con AD/HD. Además de nuestro sitio Web informativo, CHADD también publica una variedad de materiales impresos para que sus miembros y profesionales estén al corriente con los avances en la investigación, medicinas y tratamientos afectando a las personas con AD/HD.

CLAS Early Childhood Research Institute (Instituto de Investigación de los Primeros Años del Niño, CLAS)

http://clas.uiuc.edu

El Instituto de Investigación de los Primeros Años del Niño en Servicios Culturales y Lingüísticamente Apropiados (CLAS) identifica, evalúa y promueve prácticas de mediaciones tempranas, efectivas y apropiadas y prácticas preescolares que son delicadas y respetuosas de los niños y de las familias con antecedentes culturales y lingüísticamente diversos. El sitio Web de CLAS presenta una base de datos dinámica y que evoluciona constantemente de materiales que describen prácticas apropiadas tanto culturales como lingüísticas para los primeros años del niño y servicios de intervención temprana. En este sitio, encontrará descripciones de libros, cintas de video, artículos, manuales, folletos y cintas de audio. Adicionalmente, existen diversos enlaces de sitios Web e información en una variedad de idiomas. El Instituto CLAS fue fundado por la Oficina de Programas de Educación Especial del Departamento de Educación de los EE.UU.

Creating a Peaceful Environment (Creando un Ambiente Pacífico)

http://arizonachildcare.org/provider/penvironment.html

El sitio ofrece consejos y actividades para hacer que "su hogar o centro sea un lugar tranquilo y pacífico.

Family Education Network (Red de Educación Familiar)

http://familyeducation.com/home

Los principios básicos de Family Education Network (Red de Educación Familiar) son el ser una red para el consumidor a través del Internet de los mejores recursos del mundo en cuanto a aprendizaje e información; está personalizado para ayudarles a los padres de familia, maestros y estudiantes de todas las edades a tomar control de su aprendizaje e incorporarlo a todos los aspectos de sus vidas diarias.

The Incredible Years (Los Años Increíbles)
http://www.incredibleyears.com
The Incredible Years (Los Años Increíbles) son programas efectivos y comprobados con base en la investigación dedicados a reducir los problemas de agresividad y comportamiento de los niños y aumentar la habilidad social en el hogar y en la escuela. Los programas de Los años increíbles fueron desarrollados por Carolyn Webster-Stratton, M.S.N., M.P.H., Ph.D., Profesora y Directora de la Parenting Clinic (Clínica para la Crianza de los Niños) en la Universidad de Washington. Ella es una enfermera y psicóloga clínica autorizada y ha publicado numerosos artículos científicos evaluando los programas de capacitación para ayudarles a las familias y a los maestros con los niños que son altamente agresivos, desobedientes, hiperactivos y distraídos. Ella cuenta con extensa experiencia clínica ayudando a más de 1,000 familias cuyos niños fueron diagnosticados con problemas de conducta y trastorno por falta de atención.

LD (Learning Disability) Pride (Orgullo DL) (**Problemas de Aprendizaje**)
http://www.ldpride.net/learningstyles.MI.htm
La información sobre estilos de aprendizaje e inteligencias múltiples (MI) es de ayuda para todos, especialmente para aquellas personas con problemas de aprendizaje y un trastorno de falta de atención. Conocer su estilo de aprendizaje lo ayudará a desarrollar estrategias que compensen sus debilidades y capitalicen sus puntos fuertes Esta página proporciona una explicación con referencia a lo que uno realmente se refiere con estilos de aprendizaje e inteligencias múltiples, una evaluación interactiva de su estilo de aprendizaje/inteligencias múltiples y consejos prácticos para lograr que el estilo de aprendizaje que usted tenga le funcione.

Learning to Learn (Aprendiendo a Aprender)
http://www.ldrc.ca/projects/projects.php?id=26
Learning to Learn (Aprendiendo a Aprender) es para alumnos, maestros e investigadores. Enseña el valor de la auto-conscientización como un aspecto crítico del aprendizaje. Aprendiendo a aprender es un curso, un recurso y un una fuente de conocimiento sobre el aprendizaje y sobre cómo se puede desarrollar en los niños y en los adultos y sobre cómo difiere entre los alumnos.

Learning Styles Resource Page
(Página de Recursos para Estilos de Aprendizaje)
http://www.oswego.edu/CandI/plsi

Lleve a cabo un inventario de los estilos de aprendizaje. Aprenda sobre cada uno de los modelos usados más comúnmente. Aprenda más sobre su propio estilo de aprendizaje. Esta página tiene enlaces a muchos otros sitios.

The Multiple Intelligence Inventory
(El Inventario de la Inteligencia Múltiple)
http://www.ldrc.ca/projects/projects.php?id=42
The Multiple Intelligence Inventory (El Inventario de la Inteligencia Múltiple) se basa en la obra original de Howard Gardner en la década de los 80. Desde que él comenzó su obra, la idea de "inteligencias múltiples" ha llegado a tener un efecto significativo en el pensamiento de muchos investigadores y educadores. Se ha agregado una "inteligencia adicional" al inventario, por cortesía de Gary Harms, que trata de estilos y habilidades asociados con una conciencia del medio ambiente que lo rodea a uno, de la física y de un conocimiento de la "naturaleza de las cosas."

National Association for the Education of Young Children (NAEYC)
(Asociación Nacional para la Educación de los Niños Pequeños)
http://www.naeyc.org
El sitio Web de la Asociación Nacional para la Educación de los Niños Pequeños (NAEYC) tiene enlaces a una guía de publicaciones con diversos libros y videocasetes sobre planes de estudios disponibles para su compra a un bajo costo.

National Head Start Association (NHSA)
(Asociación Nacional de Head Start)
http://www.nhsa.org
El artículo de la NHSA, "Enhancing the Mental Health of Young Children: How educators can respond to children who have been affected by community violence," (Mejorando la salud mental en los niños pequeños: Cómo pueden los educadores responder a los niños que han sido afectados por la violencia en la comunidad), apareció en el número de la revista Children and Familias (Niños y Familias) del verano del 2001.

Nurturing Our Spirited Children (Dando Afecto a Nuestros Hijos Enérgicos)
http://www.nurturingourfamilies.com/spirited/index.html
Nosotros somos el recurso para los padres que está educando a niños enérgicos, con muchas necesidades, de caracteres fuertes, activos, despiertos o difíciles.

Parentcenter.com
http://www.parentcenter.com
Este sitio Web contiene una variedad de artículos y herramientas enfocadas a la edad del niño. El "solucionador de problemas" es un conjunto muy interesante de enlaces a ideas sobre como responder al comportamiento

desafiante. "ParentCenter.com es un recurso fácilmente navegable diseñado para ayudarle a los padres de familia de niños entre los 2 y los 8 años de edad a manejar mejor y disfrutar de los retos diarios de criar a hijos increíbles."

Positive Discipline (Disciplina Positiva)
http://www.positivediscipline.com
Positive Discipline (Disciplina Positiva) está dedicada a proporcionar educación y recursos que promuevan y fomentan el continuo desarrollo de las habilidades que uno tiene en la vida y de las relaciones basadas en el respeto familiar, en la escuela, en los negocios y los distintos sistemas de la comunidad. Esta página presenta información y artículos de Jane Nelson, la autora de Positive Discipline (*Disciplina Positiva)* y otros libros.

The Preventive Ounce (La Onza Preventiva)
http://www.preventiveoz.org
Este sitio Web interactivo le permite ver más claramente el temperamento de su hijo, encontrando tácticas que realmente sirven para la crianza de su hijo.

The Program for Infant/Toddler Caregivers (PITC) (El Programa para Proveedores de Cuidados Infantiles a Bebés y Niños Pequeños)
http://www.pitc.org
El sitio Web de PITC tiene artículos que describen enfoques apropiados de planes de estudios para los niños muy pequeños así como información sobre su programa de capacitación disponible en California.

San Diego Association for the Education of Young Children (SDAEYC) (Asociación de San Diego para la Educación de Niños Pequeños)
http://www.sandiegoaeyc.org
SDAEYC tiene un Grupo de Enfoque en la Salud Mental y un comité para "Detener la Violencia en la Vida de los Niños Pequeños", que trata la importancia de las relaciones para aquellos que cuidan a los niños pequeños.

Spaces for Children (Espacios para los Niños)
http://www.spacesforchildren.com
Spaces for Children (Espacios para los Niños) está enfocado en los ambientes apropiados en cuando al desarrollo infantil: excelentes lugares para el aprendizaje que son dirigidos por los niños y eficientes para los maestros. Nuestra experiencia abarca la programación y diseño en términos generales de los edificios de cuidado infantil, incluyendo servicios completos de arquitectura, muebles y diseño de estructuras para juegos.

Tip Sheets: Positive Ways of Intervening with Challenging Behavior (Hojas de Consejos: Maneras positivas de intervenir en los comportamientos desafiantes)

http://ici2.umn.edu/preschoolbehavior/tip_sheets/default.html
Las hojas de consejos fueron desarrolladas para ayudarles a los maestros
y padres de familia a proporcionar las mejores oportunidades educativas
posibles a los estudiantes que muestran trastornos emocionales y del
comportamiento.

VARK (Visual Aural Read/Write Kinesthetic)
(VARK- Lectura visual auditiva/escritura kinestésica)
http://honolulu.hawaii.edu/intranet/committees/FacDevCom/guidebk/
teachtip/vark.htm
VARK es un cuestionario que les proporcionar a los usuarios un perfil de sus
preferencias. Estas preferencias tienen que ver con la forma en que quieren
recibir o entregar información durante el proceso de aprendizaje.

What's Your Child's Learning Style?
(¿Cuál es el estilo de aprendizaje de su hijo?)
http://www.parentcenter.com/calculators/learningstyle
Cada niño aprende de un modo distinto, usando el sentido de la visión, del
oído o del tacto para dominar la información nueva. Para saber si su hijo
aprende principalmente en forma visual, auditiva o física, tome esta prueba.
Luego aprenda a usar esta información para ayudar a su hijo aprovechar
mejor la escuela.

Zero to Three (Cero a Tres)
http://www.zerotothree.org
Zero to Three (Cero a Tres) es el recurso líder en la nación para encontrar
información sobre los primeros tres años de vida. Somos una organización
nacional de caridad sin fines de lucro, cuyo objetivo es fortalecer y apoyar a
las familias, a los practicantes y a los que promueven un desarrollo saludable
para los bebés y para los niños pequeños.

LIBROS Y ARTÍCULOS

Abbott, C.F. y Gold, S. (1991). "Conferring with Parents When You're Concerned That Their Child Needs Special Services" (Consultando con los padres cuando usted tiene la inquietud que su hijo necesita servicios especiales). *Young Children.* 46 (4): 10-14.

Armstrong, T. (1987). *In Their Own Way: Encouraging Your Child's Personal Learning Style (A la manera de ellos: Fomentando el estilo de aprendizaje personal de su hijo).* Los Ángeles, CA: Jeremy P. Tarcher, Inc.

Boulware, G.L., Schwartz, I. y McBride, B. (1999). Addressing Challenging Behaviors at Home: Working with Families to Find Solutions (Respondiendo a los comportamientos desafiantes en casa: Trabajando con familias para encontrar soluciones). En el libro de S. Sandall y M. Ostrosky (Editores), *Practical Ideas for Addressing Challenging Behaviors (Ideas prácticas para responder a comportamientos desafiantes). Serie de Monografías sobre Niños Pequeños Excepcionales.* División de los Primeros Años del Niño. Longmont, CO: Sopris West.

Brault, L. y Chasen, F. (2001). *What's Best for Infants and Young Children? (¿Qué es lo mejor para bebés y niños pequeños?) Una guía resumida del Condado de San Diego de las mejores prácticas para niños con incapacidades y otras necesidades especiales en los ámbitos de los primeros años del niño.* San Diego, CA: Comisión para Servicios Colaborativos para Bebés y Niños Pequeños (CoCoSer). Disponible en www.IDAofCal.org.

Brault, L.M.J. y González-Mena, J. (2003). "Talking with Parents When Concerns Arise" (Conversando con los padres cuando surgen inquietudes). En la publicación de González-Mena, J., *The Caregivers Companion Readings and Professional Resources (Lecturas y recursos profesionales para los proveedores de cuidados infantiles).* New York, NY: McGraw-Hill Companies, Inc.

Brazelton, T.B. (1992). *Touchpoints: Your Child's Emotional and Behavioral Development (Puntos de contacto: El desarrollo emocional y del comportamiento de su hijo).* Reading, MA: Addison-Wesley Publishing Company.

Bredekamp, S. y Copple, C. (Eds.). (1997). *Developmentally Appropriate Practice in Early Childhood Programs (Prácticas apropiadas de desarrollo en los programas durante los primeros años del niño)*. Washington, DC: NAEYC.

Brenner, A. (1997). *Helping Children Cope with Stress (Ayudando a los niños enfrentarse al estrés)*. Lexington, MA: Jossey-Bass Publishers.

Bricker, D. y Squires, J. (1999). Ages and Stages Questionnaire (*Cuestionario sobre edades y etapas) (ASQ)*. Baltimore, MD: Paul H. Brookes.

Budd, L. (1993). *Living with the Active Alert Child: Groundbreaking Strategies for Parents (La vida con el niño despierto y activo: Estrategias completamente nuevas para los padres)*. Seattle, WA: Parenting Press, Inc.

Chandler, P. (1994). *A Place for Me: Including Children with Special Needs in Early Care and Education Settings (Un lugar para mí: Cómo incluir a los niños con necesidades especiales en ambientes de cuidados tempranos y educativos)*. Washington, DC: NAEYC.

Chen, J. (Ed.), Gardner, H., Feldman, D.H. y Krechevsky, M. (1998). *Project Spectrum: Early Learning Activities ((Proyecto Spectrum: Actividades para el aprendizaje temprano)*. New York, NY: Teachers College Press.

Cherry, C. (1981). *Think of Something Quiet: A Guide for Achieving Serenity in Early Childhood Classrooms (Pensando en algo tranquilo: Una guía para lograr la serenidad en los salones durante los primeros años del niño)*. Carthage, IL: Fearon Teacher Aids.

Chess, S. y Thomas, A. (1996). *Temperament: Theory and Practice (Temperamento: Teoría y práctica)*. New York: Brunner-Mazel.

Cook, R.E., Tessier, A. y Klein, M.D. (2000). *Adapting Early Childhood Curricula for Children in Inclusive Settings* (5th Ed.) *(Adaptando los planes de estudios durante los primeros años del niño en ambientes inclusivos)* (5ta edición) Upper Saddle River, NJ: Prentice Hall, Inc.

Covey, S. (1990). *The 7 Habits of Highly Effective People. (Los 7 hábitos de la gente altamente efectiva)* New York, NY: Simon & Schuster.

Derman-Sparks, L. y ABC Task Force (Grupo de estudio). (1989). *Anti-Bias Curriculum: Tools for Empowering Young Children (Plan de estudios contra el prejuicio: Herramientas para conferir poderes a los niños pequeños)* Washington, DC: NAEYC.

Dodge, D.T. y Bickart, T.S (2000). *Three Key Social Skills (Tres habilidades sociales claves)*. Tomado del Internet el 27 de mayo de 2002, del sitio Web http://www.scholastic.com/smartparenting/earlylearner/age3/social/pre_keyskills.htm.

Essa, E. (1998). *A Practical Guide to Solving Preschool Behavioral Problems (Una guía práctica para resolver problemas de comportamiento de niños de edad preescolar).* Albany, NY: Delmar.

Faber, A. y Mazlish, E. (1980). *How to Talk So Kids Will Listen and Listen So Kids Will Talk (Cómo hablar para que los niños escuchen y escuchar para que los niños hablen)* New York, NY: Avon Books.

Fenichel, E. (Ed.) (1992). *Learning Through Supervision and Mentorship to Support the Development of Infants, Toddlers and Their Families: A Sourcebook (El aprendizaje a través de la supervisión y la guía para apoyar el desarrollo de los bebés, niños pequeños y sus familias: Un libro fundamental).* Washington, DC: Zero to Three.

Fisher, R., Ury, W.L. y Ury W. (1991). *Getting to Yes: Negotiating Agreement Without Giving In (Llegando a Sí: Negociando consentimiento sin ceder)* (segunda edición). New York, NY: Penguin Books.

Gardner, H. (1983). *Frames of Mind: The Theory of Multiple Intelligences (Estados mentales: Una teoría sobre inteligencias múltiples).* New York, NY: Basic Books.

Genesee, F. (Ed.). (1994). *Educating Second Language Children: The Whole Child, the Whole Curriculum, the Whole Community (La educación de los niños en una segunda lengua: El niño en su totalidad, el plan de estudios en su totalidad, la comunidad en su totalidad).* Cambridge, UK: Cambridge University Press.

Glasser, H. y Easley, J. (1999). *Transforming the Difficult Child: The Nurtured Heart Approach (Transformando al niño difícil: El enfoque cariñoso).* Tucson, AZ: Center for the Difficult Child.

Glenn, H.S. y Nelsen, J. (1989). *Raising Self-Reliant Children in a Self-Indulgent World (La crianza de niños con confianza en sí mismos en un mundo de auto-indulgencia).* Rocklin, CA: Prima Publishing & Communications.

Goleman, D. (1995). *Emotional Intelligence (Inteligencia emocional).* New York, NY: Bantam Books.

Gonzalez-Mena, J. (1995). *Dragon Mom: Confessions of a Child Development Expert (Mamá Dragón: Confesiones de un experto en desarrollo infantil)*. Napa, CA: Rattle OK Publications.

Greenberg, P. (1991). *Character Development: Encouraging Self Esteem and Self Discipline in Infants, Toddlers, & Two Year-olds (Desarrollo del carácter: Fomentando el autoestima y autodisciplina en bebés, niños pequeños y niños de dos años)*. Washington, DC: NAEYC.

Greene, R.W. (2001). *The Explosive Child: A New Approach for Understanding and Parenting Easily Frustrated, Chronically Inflexible Children (El niño explosivo: Un nuevo enfoque para entender y criar a niños que se frustran fácilmente y crónicamente inflexibles)*. New York, NY: HarperCollins Publishers.

Greenspan, S. y Salmon, J. (1995). *The Challenging Child: Understanding, Raising and Enjoying the Five "Difficult" Types of Children (El niño desafiante: Conocer, criar y disfrutar a los cinco tipos de niños "difíciles")*. Reading, MA: Addison-Wesley Pub. Co.

Greenspan, S.I. y Weider, S. (1998). *The Child with Special Needs: Encouraging Intellectual and Emotional Growth (El niño con necesidades especiales: Fomentando el crecimiento intelectual y emocional)*. Reading, MA: Addison-Wesley.

Hewitt, D. (1995). *So This Is Normal Too? (¿Así que esto es normal también?)*. St. Paul, MN: Redleaf Press.

Honig, A.S. (2000). *Love and Learn: Positive Guidance for Young Children (Amar y aprender: Asesoría positiva para niños pequeños)* (folleto). Washington, DC: NAEYC.

Honig, A.S. (1986). "Stress and Coping in Children" (El estrés y cómo enfrentarse a los problemas de los niños). *Young Children* 41(4), 50-63; (6), 47-59.

Isbell, R. y Exelby, B. (2001). *Early Learning Environments That Work (Ambientes durante los primeros años del niño que funcionan)*. Beltsville, MD: Gryphon House.

Kaiser, B. y Raminsky, J. (1999). *Meeting the Challenge: Effective Strategies for Challenging Behaviors in Early Childhood Environments (Enfrentando el reto: Estrategias efectivas para los comportamientos desafiantes en ambientes durante los primeros años del niño)*. Toronto, Canadá: Canadian Child Care Federation.

Katz, L.G. y McClellan, D.E. (1997). *Fostering Children's Social Competence (Fomentando las habilidades sociales de los niños)*. Washington, DC: NAEYC.

Kemple, K.M. *Understanding and Facilitating Preschool Children's Peer Acceptance (Comprendiendo y facilitando la aceptación de los compañeros entre los niños de edad preescolar)*. Tomado del Internet el 27 de mayo de 2002, del sitio Web en http://www.nldontheweb.org/Kemple-1.htm

Klein, M.D. y Chen, D. (2001). *Working with Children from Culturally Diverse Backgrounds (El trabajo con niños con antecedentes culturales diversos)*. Albany, NY: Delmar.

Klein, M.D., Cook, R.E. y Richardson-Gibbs, A.M. (2001). *Strategies for Including Children with Special Needs in Early Childhood Settings (Estrategias para incluir a los niños con necesidades especiales en ambientes infantiles durante los primeros años del niño)*. Albany, NY: Delmar.

Klein, M.D., Cook, R.E. y Richardson-Gibbs, A.M. (2001). "Preventing and Managing Challenging Behaviors." In *Strategies for Including Children with Special Needs in Early Childhood Settings "Prevención y manejo de comportamientos desafiantes" En Estrategias para incluir a los niños con necesidades especiales en ambientes infantiles durante los primeros años del niño*. Albany, NY: Delmar.

Kline, P. (1988). *The Everyday Genius: Restoring Children's Natural Joy of Learning—and Yours Too (El genio de la vida diaria: Restauración del gozo natural del aprendizaje en el niño—y también en usted)*. Arlington, VA: Great Ocean Publishers.

Kuschner, A., Cranor, L.S. y Brekken, L. (Editores). (1996). *Project Exceptional: A Guide for Training and Recruiting Child Care Providers to Serve Young Children with Disabilities (Proyecto Excepcional: Una guía para la capacitación y reclutamiento de proveedores de cuidados infantiles para el servicio de niños pequeños con incapacidades), Volumen 1*. Sacramento, CA: Departamento de Educación de California.

Kurcinka, M.S. (1992). *Raising Your Spirited Child: A Guide for Parents Whose Child Is More Intense, Sensitive, Perceptive, Persistent, and Energetic (Educando a su hijo energético: Una guía para padres cuyo hijo es más intenso, sensible, perceptivo, persistente y lleno de energía)*. New York, NY: Harper Collins.

Larson, N., Henthorne, M. y Plum, B. (1997). *Transition Magician (Mago de transiciones)*. St. Paul, MN: Redleaf Press.

Levin, D. (1998). *Remote Control Childhood? Combating the Hazards of Media Culture (¿Niñez a control remoto? Combatiendo los peligros de la cultura de los medios de comunicación).* Washington, DC: NAEYC.

Lieberman, A. (1995). *The Emotional Life of the Toddler (La vida emocional de un niño pequeño).* New York, NY: Free Press.

Llawry, J., Danko, C.D. y Strain, P.S. (1999). "Examining the Role of the Classroom Environment in the Prevention of Problem Behaviors" (Examinado el papel del ambiente del salón en la prevención de comportamientos problemáticos). En el libro de Sandall, S. y Ostrosky. M. (Editores), *Practical Ideas for Addressing Challenging Behaviors (Ideas prácticas para responder a comportamientos desafiantes).* Serie de Monografías sobre Niños Pequeños Excepcionales. División de los Primeros Años del Niño. Longmont, CO: Sopris West.

Lynch, E.W. (1996). "When Concerns Arise: Identifying and Referring Children with Exceptional Needs" (Cuando surgen inquietudes: Identificando y refiriendo a los niños con necesidades excepcionales). En el libro de Kuschner, A., Cranor, L. y Brekken, L. *Project Exceptional: A Guide for Training and Recruiting Child Care Providers to Serve Young Children with Disabilities (Proyecto Excepcional: Una guía para la capacitación y reclutamiento de proveedores de cuidados infantiles para el servicio de niños pequeños con incapacidades), Volumen 1.* Sacramento, CA: Departamento de Educación de California.

Marion, M. (1995). *Guidance of Young Children (Asesoría para guiar a los niños pequeños).* Upper Saddle River, NJ: Prentice Hall.

McCracken, J.B. (1999). *Playgrounds: Safe & Sound (Áreas de recreo: Seguras y tranquilas)* (folleto). Washington, DC: NAEYC.

Mize, J. y Abell, E. (1996). "Encouraging Social Skills in Young Children: Tips Teachers Can Share with Parents," (Fomentando las habilidades sociales en los niños pequeños: Consejos que los maestros pueden compartir con los padres de familia). *Dimensions of Early Childhood (Dimensiones de los Primeros Años del Niño).* Southern Early Childhood Association Newsletter (Carta Informativa de la Asociación del Sur Dedicada a los Primeros Años del Niño), Volumen 24, Número 3, verano. Tomado del Internet el 27 de mayo de 2002, del sitio Web en http://www.humsci.auburn.edu/parent/socialskills.html

NAEYC. (1998). *Helping Children Learn Self-Control (Ayudando a los niños a aprender el autocontrol)* (folleto). Washington, DC: NAEYC.

Neilson, S.L., Olive, M.L., Donavon, A. y McEvoy, M. (1999). "Challenging Behaviors in Your Classroom? Don't React—Teach Instead." (¿Comportamientos desafiantes en la sala de clases? -No reaccione, - En lugar de eso, enseñe). En el libro de Sandall, S y Ostrosky, M. (Editores), *Practical Ideas for Addressing Challenging Behaviors (Ideas prácticas para responder a comportamientos desafiantes)*. Serie de Monografías sobre Niños Pequeños Excepcionales. División de los Primeros Años del Niño. Longmont, CO: Sopris West.

Nelsen, J. (1996). *Positive Discipline (Disciplina positiva)* New York, NY: Ballantine Books.

Nelsen, J. (1999). *Positive Time Out (Las pausas forzadas positivas).* Rocklin, CA: Prima Publishing.

Nelsen, J. (2000). *From Here to Serenity: Four Principles for Understanding Who We Really Are (De aquí a la serenidad: Cuatro principios para comprender quiénes realmente somos)*. Roseville, CA: Prima Publishing.

Paley, V.G. (2000). *White Teacher (El maestro blanco)*. Cambridge, MA: Harvard University Press.

Poulsen, M.K. (1996). "Caregiving Strategies for Building Resilience in Children at Risk" (Estrategias del proveedor de cuidados para desarrollar la resistencia en los niños con problemas). En el libro de Kuschner, A., Cranor, L. y Brekken, L. *Project Exceptional: A Guide for Training and Recruiting Child Care Providers to Serve Young Children with Disabilities (Proyecto Excepcional: Una guía para la capacitación y reclutamiento de proveedores de cuidados infantiles para el servicio de niños pequeños con incapacidades)*, *Volumen 1*. Sacramento, CA: Departamento de Educación de California

Reichle, J., McEvoy, M.A. y Davis, C.A. (1999). *A Replication and Dissemination of a Model of Inservice Training and Technical Assistance to Prevent Challenging Behaviors in Young Children with Disabilities: Proactive Approaches to Managing Challenging Behavior in Preschoolers* (Una réplica y divulgación de un modelo de capacitación durante el servicio y ayuda técnica para prevenir los comportamientos desafiantes en los niños pequeños con discapacidades). Minnesota Behavioral Support Project (Proyecto de Apoyo al Comportamiento de Minnesota), University of Minnesota (Universidad de Minnesota). Obtenido de la Web el 27 de mayo de 2002 en http://ici2.umn.edu/preschoolbehavior/strategies/strategy.pdf

Reynolds, E. (1995). *Guiding Young Children A Child Centered Approach (Asesorando a los niños pequeños: un enfoque centrado en el niño).* Mountain View, CA: Mayfield.

Rodd, J. (1996). *Understanding Young Children's Behavior (Entendiendo el comportamiento de un niño pequeño).* New York, NY: Teachers College Press.

Sandall, S. y Ostrosky, M. (Eds). (1999). *Practical Ideas for Addressing Challenging Behaviors (Ideas prácticas para responder a comportamientos desafiantes).* Serie de Monografías sobre Niños Pequeños Excepcionales. División de los Primeros Años del Niño. Longmont, CO: Sopris West.

Schinke-Llano, L. y Rauff (Eds.). (1996). *New Ways of Teaching Young Children (Nuevas formas de enseñanza para su niño pequeño).* Alexandria, VA: Teachers of English to Speakers of Other Languages, Inc.

Slaby, R.G., Roedell, W.C., Arezzo, D. y Hendrix, K. (1995). *Early Violence Prevention: Tools for Teachers of Young Children (La prevención temprana de la violencia: Herramientas para los maestros de niños pequeños).* Washington, DC: NAEYC.

Strain, P.S. y Hemmeter, M.L. (1999). "Keys to Being Successful When Confronted with Challenging Behavior" *(La clave del éxito cuando nos vemos expuestos a un comportamiento desafiante).* En el libro de Sandall, S. y Ostrosky. M. (Editores), *Practical Ideas for Addressing Challenging Behaviors (Ideas prácticas para responder a comportamientos desafiantes).* Serie de Monografías sobre Niños Pequeños Excepcionales. División de los Primeros Años del Niño. Longmont, CO: Sopris West.

Tertell, E., Klein, S., & Jewett, J. (Editores). (1998). *When Teachers Reflect: Journeys Toward Effective, Inclusive Practice (Cuando los profesores reaccionan: Un viaje hacia prácticas efectivas e inclusivas).* Washington, DC: NAEYC.

Tureki, S. (1989). *The Difficult Child:* New York: Bantam Books.

Walker, J.E. y Shea, T.M. (1999). *Behavior Management: A Practical Approach for Educators (Manejo del comportamiento: un enfoque práctico para educadores).* Upper Saddle River, NJ: Prentice Hall.

Warren, K. (1996). "Family Caregiving Partnerships" (Asociaciones con los proveedores de cuidados familiares). En el libro de Kuschner, A., Cranor, L. y Brekken, L. *Project Exceptional: A Guide for Training and Recruiting Child Care Providers to Serve Young Children with Disabilities (Proyecto*

Excepcional: Una guía para la capacitación y reclutamiento de proveedores de cuidados infantiles para el servicio de niños pequeños con incapacidades), Volumen 1. Sacramento, CA: Departamento de Educación de California.

Zavitkovsky, D, Baker, K.R., Berlfein, J.R. y Almy, M. (1986). *Listen to the Children (Escuche a los niños).* Washington, DC: NAEYC.

Zeitlin, S. y Williamson, G.G. (1994). *Coping in Young Children: Early Intervention Practices to Enhance Adaptive Behavior and Resilience (Cómo enfrentarse a los problemas de niños pequeños: Prácticas de intervención temprana para mejorar el comportamiento adaptivo y la resistencia).* Baltimore, MD: Paul H. Brookes.

VIDEOS

NAEYC. (1988). *Discipline: Appropriate Guidance of Young Children (Disciplina: Asesoría apropiada para los niños pequeños).* Washington, DC: NAEYC.

NAEYC. (1994). *Painting a Positive Picture: Proactive Behavior Management (Pintando un cuadro positivo: Manejo proactivo del comportamiento).* Washington, DC: NAEYC.

NAEYC. (1996). *Places to Grow-the Learning Environment (Lugares para crecer-el ambiente de aprendizaje).* Washington, DC: NAEYC.

PITC. (2003). *Space to Grow (Espacio para crecer).* California: WestEd.

Protective Urges: Working with the Feelings of Parents and Caregivers (Impulsos protectores: Trabajando con los sentimientos de los padres de familia y de los proveedores de cuidados infantiles). (Video revista). Program for Infant-Toddler Caregivers (Programa para proveedores de cuidados infantiles de bebés y niños pequeños), Sacramento, CA: Departamento de Educación de California.

Reframing Discipline (Reformulando la disciplina). Educational Productions: 1-(800)-950-4949; http://www.edpro.com.

GLOSARIO

A continuación se encuentran definiciones de palabras que están en letra itálica y negritas en la guía.

apropiadas en cuanto al desarrollo: tomando en cuenta lo que es adecuado para la edad del niño, para sus características individuales y sus influencias culturales y sociales.

autoayuda: actividades llevadas a cabo sin la ayuda de un adulto, tales como comer, vestirse e ir al baño

comportamiento de reemplazo: un comportamiento que toma el lugar de un comportamiento menos deseado

consecuencia natural y lógica: lo que sucede naturalmente después de un comportamiento (natural) o lo que es razonable y relacionada con el comportamiento (lógica)

factor de estabilidad: el cambio que sucede en el ámbito, incluyendo la rotación del personal, rotación de los niños, cambios en el programa, cambios en otras áreas tales como el ambiente y en el plan de estudios

función: el propósito o la razón detrás de un comportamiento

habilidades reflexivas: pensativo, considerando cuidadosamente los pensamientos y las emociones

incapacidades cognitivas: cualquier incapacidad afectando el desarrollo de las habilidades del pensamiento tales como incapacidades de aprendizaje, retrasos en el desarrollo o retrasos mentales

introspección: una observación y un análisis de su propia condición mental y emocional

intuición: conocimiento interno ganado sin tener que pensar al respecto consecuencia natural y lógica: lo que sucede naturalmente después de un comportamiento (natural) o lo que es razonable y relacionada con el comportamiento (lógica)

motrices finas: se refiere al uso de músculos pequeños

norma: algo de lo cual se piensa que es típico para un grupo en particular *plan de estudios:* una descripción organizada de lo que usted está haciendo para promover el desarrollo de los niños en todas las áreas

proactivo: la toma de acción antes de que el problema ocurra

reflexivo: pensativo, considerando cuidadosamente los pensamientos y las emociones

relevante: significativo y apropiado

temperamento: características o rasgos que normalmente se observan en las reacciones de una persona

transición: movimientos entre actividades, lugares, ámbitos o personas

NOTAS

Introducción

1. Boletín de Cuidados Infantiles/Guarderías, de septiembre/octubre de 1997, publicación número 17. Se obtuvo del Internet el 27/5/02, http://nccic.org/ccb/ccb-so97/demograp.html
2. Presentación del Estudio de Desarrollo de los Primeros Años del Niño del Instituto Nacional de la Salud Infantil en la Sociedad para la Investigación del Desarrollo Infantil. (19 de abril de 2001) *Las nuevas investigaciones demuestran los efectos únicos de que tienen la cantidad, calidad y tipos de cuidados infantiles sobre el niño desde recién nacido hasta la edad 4.5 años.* Ann Arbor, MI: Autor. Disponible a través del Internet: http://www.srcd.org/pp1.html
3. Bredekamp, S. y Copple, C. (Editores). (1997). *Developmentally Appropriate Practice in Early Childhood Programs (Prácticas apropiadas de desarrollo en los programas durante los primeros años del niño).* Washington, DC: NAEYC.

Capítulo 1

1. Shea, M. M. (1994). *Including All of Us: Caring for Children with Special Needs in Early Childhood Settings : A Manual for Child Care Providers (Incluyéndonos todos: Cuidando a los niños con necesidades especiales en ámbitos durante los primeros años del niño: Un manual para los proveedores de cuidados infantiles).* El Proyecto Principal, Escuela de Graduados en Salud Pública, Universidad Estatal de San Diego, Subsidio de Salud Materna e Infantil #MJC-067052.
2. American Academy of Pediatrics (Academia Americana de Pediatría). (2003). *La televisión y la familia.* Se obtuvo del sitio Web http://www.aap.org, el 02/10/2003.
3. Brazelton, TB. (1992). *Touchpoints: Your Child's Emotional and Behavioral Development (Puntos de contacto: El desarrollo emocional y el comportamiento de su hijo.* Reading, MA: Addison-Wesley Publishing Company.
4. Bredekamp, S. y Copple, C. (Eds.). (1997). *Developmentally Appropriate Practice in Early Childhood Programs (Prácticas apropiadas de desarrollo en los programas durante los primeros años del niño).* Washington, DC: NAEYC.
5. Lally, J.R., Griffin, A., Fenichel, E., Segal, M., Stokes, Szanton, E. y Weissbourd, B. (1995). *Caring for Infants and Toddlers in Groups: Developmentally Appropriate Practice (Cuidando a los bebés y niños pequeños en grupos: Prácticas apropiadas en cuanto al desarrollo).* Washington, DC: Zero to Three.
6. Shea, M.M. (1994). Including All of Us: *Caring for Children with Special Needs in Early Childhood Settings: A Manual for Child Care Providers (Incluyéndonos todos: Cuidando a los niños con necesidades especiales en ámbitos durante los primeros años del niño: Un manual para los proveedores de cuidados infantiles).* El Proyecto Principal, Escuela de Graduados en Salud Pública, Universidad Estatal de San Diego, Subsidio de Salud Materna e Infantil #MJC-067052.
7. Ibid.

Capítulo 2

1. Covey, S. (1990). *The 7 Habits of Highly Effective People. (Los 7 hábitos de la gente altamente efectiva)* New York, NY: Simon y Schuster.
2. Chess, S. y Thomas, A. (1996). *Temperament: Theory and Practice (Temperamento: Teoría y práctica).* New York, NY: Brunner-Mazel.
3. Kurcinka, M.S. (1992). *Raising Your Spirited Child: A Guide for Parents Whose Child Is More Intense, Sensitive, Perceptive, Persistent, and Energetic (Educando a su hijo enérgico: Una guía para los padres cuyos hijos son más intensos, sensibles, perceptivos, persistentes y enérgicos).*New York, NY: Harper Collins.
4. Gardner, H. (1983). *Frames of Mind: The Theory of Multiple Intelligences (Estados mentales: La teoría de las inteligencias múltiples).* New York, NY: Basic Books.
5. Goleman, D. (1995). *Emotional Intelligence (Inteligencia emocional).* New York, NY: Bantam Books.

Capítulo 3

1. Hemmeter, M. L. (2000) *Social Emotional Development Tapes (Grabaciones sobre el desarrollo socio-emocional).* Head Start.
2. The Child Mental Health Foundation and Agencies Network (Red de Agencias y de la Fundación de Salud Mental del Niño). (2000). "A Good Beginning—Sending America's Children to School with

the Social and Emotional Competence They Need to Succeed." ("Un buen comienzo - Enviando a los niños de América a la escuela con la aptitud social y emocional que necesitan para lograr el éxito"). Se obtuvo el 27 de mayo de 2003 de la página Web: http://www.nimh.nih.gov/childhp/prfan.cfm

3. Brault, L. y Chasen, F. (2001). *What's Best for Infants and Young Children? (¿Qué es lo mejor para los bebés y los niños pequeños?). Una guía resumida del Condado de San Diego de las mejores prácticas para niños con incapacidades y otras necesidades especiales en los ámbitos de los primeros años del niño.* San Diego, CA: Comisión para Servicios Colaborativos para Bebés y Niños Pequeños (CoCoSer), pág. 36.

4. Dodge, D.T. y Bickart, T.S. (2000). "Three Key Social Skills" ("Tres habilidades sociales claves"). Se obtuvo del Internet el 27 de mayo de 2002 en el sitio Web http://www.scholastic.com/smartparenting/ earlylearner/social/pre-keyskills.htm

5. Neilson, St., Olive, M.L., Donavon, A. y McEvoy, M. (1999). Challenging Behaviors in Your Classroom? Don't React—Teach Instead. ("¿Hay comportamientos desafiantes en su salón de clase? ¡No reaccione - en lugar de esto, enseñe!") En la publicación de Sandall, S. y Ostrosky, M. (Editores). *Practical Ideas for Addressing Challenging Behaviors (Ideas prácticas para responder a comportamientos desafiantes). Serie de Monografías sobre Niños Pequeños Excepcionales. División de los Primeros Años del Niño.* Longmont, CO: Sopris West.

6. *Ibid.*

7. Boulware, G.L., Schwartz, I. y McBride, B. (1999). *Addressing Challenging Behaviors at Home: Working with Families to Find Solutions (Respondiendo a los comportamientos desafiantes en casa: Trabajando con familias para encontrar soluciones). En la publicación de Sandall, S. y Ostrosky M. (Editores), Practical Ideas for Addressing Challenging Behaviors (Ideas prácticas para responder a comportamientos desafiantes). Serie de Monografías sobre Niños Pequeños Excepcionales. División de los Primeros Años del Niño.* Longmont, CO: Sopris West.

8. *Basado en parte sobre las ideas de Joanne Dugget presentadas en la conferencia de la Asociación de San Diego para la Educación de Niños Pequeños, otoño de 1995 y posteriormente ampliadas por Mary Jeffers.*

Capítulo 4

1. Strain, P.S. y Hemmeter, M.L. (1999). "Keys to Being Successful When Confronted with Challenging Behavior" ("La clave del éxito cuando nos vemos expuestos a un comportamiento desafiante"). En la publicación de Sandall, S. y Ostrosky, M. (Editores), *Practical Ideas for Addressing Challenging Behaviors (Ideas prácticas para responder a comportamientos desafiantes). Serie de Monografías sobre Niños Pequeños Excepcionales. División de los Primeros Años del Niño.* Longmont, CO: Sopris West.

2. Departamento de Educación de los EE.UU. Oficina de Estudios Especiales y de Servicios de Rehabilitación, Oficina de Programas de Estudios Especiales. *Identifying and Treating Attention Deficit Hyperactivity Disorder: A Resource for School and Home (La identificación y el tratamiento del desorden de déficit de atención y de la hiperactividad: Una fuente de ayuda para la escuela y para la casa.)* Washington, DC, 20202. Disponible a través del Internet: http://www.ed.gov/offices/OSERS/OSEP

3. American Academy of Child and Adolescent Psychiatry (Academia Americana de Psiquiatría para el Niño y para el Adolescente)(1997). "Practice Parameters for the Psychiatric Assessment of Infants and Toddlers (0-36 months)." ("Parámetros prácticos para la evaluación psiquiátrica de los bebés y de los niños pequeños [0-36 meses]).*Journal of the American Academy of Child and Adolescent Psychiatry, 36, (Revista de la Academia Americana sobre la Psiquiatría del Niño y del Adolescente* (Suplemento Número 10), 21S-36S.

4. American Psychiatric Association (Asociación Americana de Psiquiatría). (2000). *Diagnostic and Statistical Manual of Mental Disorders (Manual de diagnósticos y de estadísticas de desórdenes mentales)* (4a edición). Washington, DC: Asociación Americana de Psiquiatría.

5. DC 0-3: Zero to Three/National Center for Clinical Infant Programs (DC 0-3: De Cero a Tres/Centro Nacional de Programas del Niño Clínico Pequeño). (1994). Diagnostic Classification of Mental Health and Developmental Disorder of Infancy and Early Childhood (Clasificación diagnóstica de la salud mental y de los desórdenes del desarrollo en la infancia y en los primeros años del niño.) Arlington, VA: Zero to Three/National Center for Clinical Infant Programs (De Cero a Tres/Centro Nacional de Programas para el Niño Clínico Pequeño).

ACERCA DE LOS AUTORES

Linda Brault es una entrenadora, directora de proyectos, instructora universitaria y educadora especial. La comprensión del comportamiento y la inclusión de los niños muy pequeños con incapacidades son las áreas de experiencia de Linda y los temas de sus artículos publicados. Tom Brault es un escritor que disfruta creando productos que afectan la vida de la gente. Linda y Tom, quienes viven en Oceanside, California, han trabajado juntos en muchos proyectos, incluyendo los más importantes—que son sus dos hijas.

INFORMACIÓN PARA PEDIR COPIAS

Para obtener copias adicionales de *Children with Challenging Behavior* (**Niños con comportamientos desafiantes**) o para obtener una cotización para un pedido grande, sírvase poner en contacto con CPG Publishing Company al 1-800-578-5549 o mandar un correo electrónico a los autores a challengingbehavior@hotmail.com

INFORMACIÓN SOBRE CAPACITACIÓN

Para obtener información sobre cómo usar *Children with Challenging Behavior* (**Niños con comportamientos desafiantes**) como parte de un programa de capacitación, póngase en contacto con Linda Brault al challengingbehavior@hotmail.com

---

ORDERING INFORMATION

To obtain additional copies of *Children with Challenging Behavior* or for a price quote on ordering bulk quantities, please contact CPG Publishing Company at 1-800-578-5549 or email the author at challengingbehavior@hotmail.com

TRAINING INFORMATION

For information about how to use *Children with Challenging Behavior* as part of a training program, please contact Linda Brault at challengingbehavior@hotmail.com